KB087302

요즘은 혼공시대!
사교육 없이도 영어 기초력을 탄탄하게 쌓아 올리는 법.
똑똑한 하루 VOCA가 정답 입니다.
초등맘 영어 들이 선택하는 기적의 교재!
엄마들의 영어 고민을 덜어 줄 어휘 교재로 강추합니다.

영어책 만드는 엄마_ 이지은

영어는 스스로 재미를 느끼며 공부해야 실력이 늘어요.
똑똑한 하루 VOCA는 자기주도학습을 매일 실천할 수 있도록
설계되어 있어, 따라 하기만 해도 공부 습관을 키울 수 있어요.
재미있는 만화와 이미지 연상을 통해 영어 단어를 오래
기억하며 알차게 공부할 수 있어요.

미쉘 Michelle TV_ 김민주

똑똑한 하루 VOCA
시리즈 구성 (Level 1~4)

Level 1 A, B
3학년 과정

Level 2 A, B
4학년 과정

Level 3 A, B
5학년 과정

Level 4 A, B
6학년 과정

똑똑한 하루 VOCA만의

**똑똑한
부가 자료**

책 속 부록

어휘 리스트

단어 카드

온라인 자료

QR앱

추가 활동지

▷ 링크 없이 음원이 바로
재생되는 편리한 QR앱을
무료로 다운 받으세요.

▷ 단어 테스트지 외
다양한 추가 활동지를
book.chunjae.co.kr
에서 다운 받으세요.

4주 완성 스케줄표

똑 똑 한
하루
VOCA

공부한 날짜를 써 봐!

4A

1주

1일 8~17쪽	2일 18~23쪽	3일 24~29쪽	4일 30~35쪽	5일 36~41쪽
단어 서수	단어 음식	단어 외모 묘사	단어 계획	단어 반의어
월 일	월 일	월 일	월 일	월 일

특강
42~49쪽
월 일

힘을 내! 넌 최고야!

2주

5일 78~83쪽	4일 72~77쪽	3일 66~71쪽	2일 60~65쪽	1일 50~59쪽
단어 다이어	단어 여가 활동	단어 달	단어 달	단어 행사
월 일	월 일	월 일	월 일	월 일

특강
84~91쪽
월 일

계획대로만 하면 금방 끝날 거야!

배운 단어는 꼭꼭 복습하기!

3주

1일 92~101쪽	2일 102~107쪽	3일 108~113쪽	4일 114~119쪽	5일 120~125쪽
단어 장소	단어 위치	단어 직업	단어 하고 싶은 일	단어 다이어
월 일	월 일	월 일	월 일	월 일

특강
126~133쪽
월 일

마지막 4주 공부 중. 감동이야!

4주

특강
168~175쪽
월 일

5일 162~167쪽	4일 156~161쪽	3일 150~155쪽	2일 144~149쪽	1일 134~143쪽
쓰기 장래 희망 묻기	쓰기 길 묻기	쓰기 여가 활동 묻기	쓰기 행사 날짜 묻기	쓰기 여름 계획 묻기
월 일	월 일	월 일	월 일	월 일

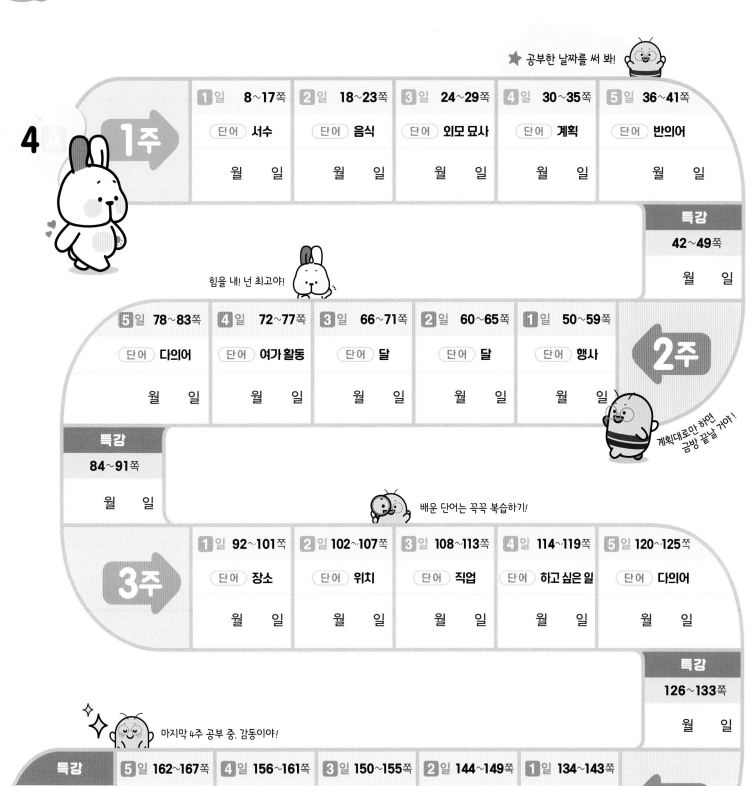

▼

똑똑한 하루 VOCA 4A

편집개발	김윤미, 하유미, 한새미, 박영미
디자인총괄	김희정
표지디자인	윤순미, 박민정
내지디자인	박희춘, 이혜미
삽화	유선영, 김동윤, 베로니카, 오연주, 이인아
제작	황성진, 조규영
발행일	2021년 4월 1일 초판 2022년 10월 1일 2쇄
발행인	(주)천재교육
주소	서울시 금천구 가산로9길 54
신고번호	제2001-000018호
고객센터	1577-0902

똑 똑 한

하루
VOCA

4A

6학년 영어

똑똑한 하루 VOCA ★ LEVEL 4 A

구성과 활용 방법

한 주 미리보기

미리보기 만화

미리보기 활동

단어
1~3주

재미있는 만화를 읽으며
오늘 배울 단어의 의미를 추측해요.

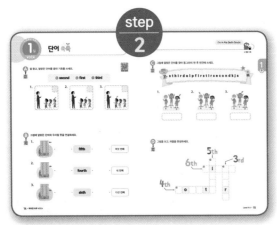

듣기부터 쓰기까지 다양한 문제를 풀어 보며
단어를 익혀요.

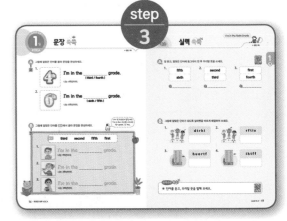

• 의미를 생각하며 문장 속에서 단어를 익혀요.
• 오늘 배운 단어를 복습하며 확인해요.

쓰기
4주

step 1

재미있는 만화를 읽으며
오늘 배울 표현의 의미를 추측해요.

step 2

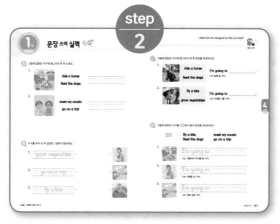

단어와 표현의 의미를 생각하며 문장을 써요.

step 3

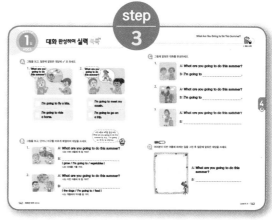

• 배운 표현의 의미를 생각하며 대화를 완성해요.
• 스스로 생각해서 문장을 써요.

Brain Game Zone

한 주 동안 배운 내용을 창의·사고력 게임으로
재미는 두 배, 사고력은 UP!

말판 놀이

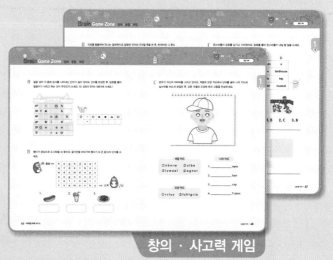

창의 · 사고력 게임

똑똑한 하루 VOCA 공부할 내용

1주 단어

일	단원명	주제	단어·어구	쪽수
1일	I'm in the Sixth Grade	서수	first, second, third, fourth, fifth, sixth	12
2일	I'd Like to Have a Hot Dog	음식	beef curry, vegetable pizza, egg sandwich, hot dog, lemonade, chocolate milk	18
3일	He Has Curly Hair	외모 묘사	brown eyes, blue eyes, straight hair, curly hair, yellow cap, green T-shirt	24
4일	I'm Going to Feed the Dogs Tomorrow	계획	go on a trip, see a musical, meet my cousin, build a birdhouse, feed the dogs, ride a boat	30
5일	SPECIAL VOCA	반의어	push, pull, buy, sell, start, finish	36
특강	**Brain Game Zone** & 누구나 100점 TEST			42

2주 단어

일	단원명	주제	단어·어구	쪽수
1일	When Is Children's Day?	행사	school market, Children's Day, field trip, club festival, math quiz, dance contest	54
2일	It's on January 2nd	달	January, February, March, April, May, June	60
3일	My Birthday Is in December	달	July, August, September, October, November, December	66
4일	I Grow Vegetables in My Free Time	여가 활동	grow vegetables, fly a kite, bake bread, play the violin, ride a horse, go in-line skating	72
5일	SPECIAL VOCA	다의어	fall, dress, shop, break	78
특강	**Brain Game Zone** & 누구나 100점 TEST			84

일	단원명	주제	단어·어구	쪽수
1일	How Can I Get to the Shopping Center?	장소	police station, airport, bookstore, restaurant, shopping center, hospital	96
2일	It's Behind the Bookstore	위치	next to, behind, between, in front of, across, around	102
3일	I Want to Be a Comedian	직업	comedian, traveler, nurse, photographer, zookeeper, car engineer	108
4일	I Want to Help Sick People	하고 싶은 일	make people happy, travel to many countries, help sick people, take good pictures, take care of animals, make a race car	114
5일	SPECIAL VOCA	다의어	have a doll, have lunch, take an umbrella, take a bus, make a robot, make a noise	120
특강	**Brain Game Zone** & 누구나 100점 TEST			126

3주

단어

일	단원명	표현	쪽수
1일	What Are You Going to Do This Summer?	A: What are you going to do this summer? B: I'm going to fly a kite.	138
2일	When Is the Field Trip?	A: When is the school market? B: It's on April sixth.	144
3일	What Do You Do in Your Free Time?	A: What do you do in your free time? B: I bake bread.	150
4일	How Can I Get to the Museum?	A: How can I get to the museum? B: Go straight. It's next to the post office.	156
5일	What Do You Want to Be?	A: What do you want to be? B: I want to be a writer.	162
특강	**Brain Game Zone** & 누구나 100점 TEST		168

4주

쓰기

SPECIAL VOCA 미리 보기

 반의어

서로 반대되는 뜻을 가진 단어를 말해요.

예 'cold(춥다)'와 'hot(덥다)'은 온도의
높고 낮음을 나타내는 반의어예요.

 복합어

두 개 이상의 단어가 합쳐져서
새롭게 만들어진 단어를 말해요.

예 'snow(눈)'와 'man(남자)'이 합쳐져서
복합어 'snowman(눈사람)'이 돼요.

 다의어

두 가지 이상의 뜻을 가진 단어를 말해요.

예 fall은 '가을'이라는 뜻도 있지만
'떨어지다'라는 뜻도 있어요.

 구동사

두 개 이상의 단어가 합쳐져서 새로운
의미의 동작을 나타내는 어구를 말해요.

예 'put(놓다)'과 'on(~ 위에)'이 함께 쓰여
'put on(입다, 신다)'이 돼요.

put + on = put on

함께 공부할 친구들

펭이랑 제일
친한 애

자기 고향이 남극인 줄
아는 로봇 펭귄

얼음이
좋아하는 것: 펭이와 놀기
싫어하는 것: 사우나
잘하는 것: 친구 위로하기

똑똑하고 친절한
친구

펭이
좋아하는 것: 생선
싫어하는 것: 상어
잘하는 것: 춤추기, 길 찾기

코미디언이 꿈이지만
안 웃긴 친구

은별
나이: 13살
좋아하는 것: 인라인스케이트 타기
싫어하는 것: 썰렁한 농담 듣기

친구 같은
과학 선생님

준우

나이: 13살
좋아하는 것: 친구들 웃기기
싫어하는 것: 치과 가기

선생님
좋아하는 것: 공상하기
싫어하는 것: 비 오는 날씨

💜 **재미있는 이야기로 이번 주에 공부할 내용을 알아보세요.**

흐음.... 마음에 안 들어.

펭이야, 무슨 일 있어?

요즘 긴 곱슬머리가 정말 멋있어 보이는데 난 머리카락이 없잖아.

은별이 너도 긴 곱슬머리네. 진짜 부러워.

내 머리카락을 줄 수도 없고….

근데 머리카락은 잘라도 계속 나오는 거야?

롤루랄라~ 머리카락 빗자루~

응. 머리카락은 사실 죽은 세포들의 긴 줄기야. 새로운 세포가 죽은 세포를 밀어 올리는 과정이 반복되면서 머리카락이 자라는 것처럼 보이는 거래.

죽은 세포

1주차 공부할 내용

1일 I'm in the Sixth Grade 서수

2일 I'd Like to Have a Hot Dog 음식

3일 He Has Curly Hair 외모 묘사

4일 I'm Going to Feed the Dogs Tomorrow 계획

5일 SPECIAL VOCA 반의어

1주

1주에는 무엇을 공부할까? ❷

A

◉ 여러분이 해당하는 학년에 동그라미 해 보세요.

first

second

third

fourth

fifth

sixth

B

◉ 여러분이 지금 먹고 싶은 음식에 동그라미 해 보세요.

beef curry

vegetable pizza

egg sandwich

hot dog

lemonade

chocolate milk

나는 6학년이야

I'm in the Sixth Grade

단어

💜 **재미있는 이야기로 오늘 배울 단어를 만나 보세요.**

1
주

❄ 오늘 배울 단어를 듣고 따라 말한 후, 써 보세요.

first
첫 번째

second
두 번째

third
세 번째

fourth
네 번째

fifth
다섯 번째

sixth
여섯 번째

🥁 위의 그림을 짚으며 찬트 해 보세요.

단어 쑥쑥

A 잘 듣고, 알맞은 단어를 골라 기호를 쓰세요.

ⓐ **second**　　ⓑ **first**　　ⓒ **third**

1.

2.

3.

B 그림에 알맞은 단어와 우리말 뜻을 연결하세요.

1.
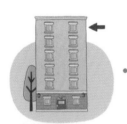　·　·　**fifth**　·　·　여섯 번째

2.
　·　·　**fourth**　·　·　네 번째

3.
　·　·　**sixth**　·　·　다섯 번째

▶정답 1쪽

C 그림에 알맞은 단어를 찾아 동그라미 한 후 빈칸에 쓰세요.

단어
쓰기

s t h i r d e l p f i r s t i r s e c o n d k j s

1.

2.

3.

D 그림을 보고, 퍼즐을 완성하세요.

단어
완성

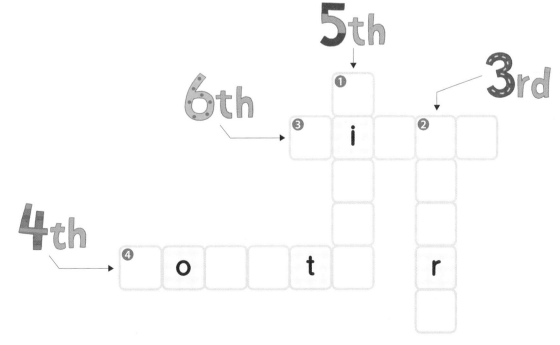

5th

6th

3rd

① i ②

4th

④ o t r

문장 쑥쑥

▶정답 1쪽

A 그림에 알맞은 단어를 골라 문장을 완성하세요.

문장 완성

1.

I'm in the _____ grade.
(third / fourth)

나는 4학년이야.

2.

I'm in the _____ grade.
(sixth / fifth)

나는 6학년이야.

> 내가 몇 학년인지 말할 때는
> 'I'm in the + 순서를 나타내는
> 말 + grade.'로 해요.

B 그림에 알맞은 단어를 보기 에서 골라 문장을 완성하세요.

문장 쓰기

| 보기 | third | second | fifth | first |

1.

1학년

I'm in the _____ grade.
나는 1학년이야.

2.

3학년

I'm in the _____ grade.
나는 3학년이야.

3.

5학년

I'm in the _____ grade.
나는 5학년이야.

A 잘 듣고, 알맞은 단어에 동그라미 한 후 우리말 뜻을 쓰세요.

1.

fifth

sixth

뜻 _____

2.

second

third

뜻 _____

3.

first

fourth

뜻 _____

B 그림에 알맞은 단어가 되도록 알파벳을 바르게 배열하여 쓰세요.

1.

d t r h i

_____

2.

r f t i s

_____

3.

h u o r t f

_____

4.

i h t f f

_____

◉ 단어를 듣고, 우리말 뜻을 말해 보세요.

나는 핫도그를 먹고 싶어

단어

I'd Like to Have a Hot Dog

💙 재미있는 이야기로 오늘 배울 단어를 만나 보세요.

❄ 오늘 배울 단어를 듣고 따라 말한 후, 써 보세요.

beef curry
소고기 카레

vegetable pizza
야채 피자

egg sandwich
계란 샌드위치

hot dog
핫도그

lemonade
레모네이드

chocolate milk
초콜릿 우유

🥁 위의 그림을 짚으며 찬트 해 보세요.

단어 쑥쑥

 A 잘 듣고, 알맞은 단어에 동그라미 하세요.

1.

chocolate milk

lemonade

2.

egg sandwich

vegetable pizza

3.

hot dog

beef curry

 B 그림에 알맞은 단어를 연결하세요.

1.

초콜릿 우유

2.

야채 피자

hot dog

beef curry

vegetable pizza

chocolate milk

3.

소고기 카레

4.

핫도그

C 그림에 알맞은 단어를 보기 에서 골라 쓰세요.

단어
쓰기

보기 **egg sandwich   chocolate milk   vegetable pizza   beef curry**

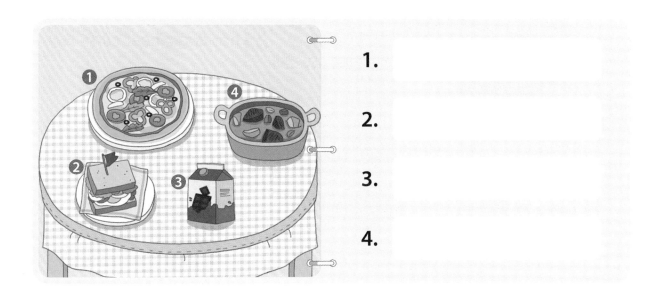

1.

2.

3.

4.

D 잘 듣고, 그림에 알맞은 단어를 완성하세요.

단어
완성

1.

e [ ] g   s [ ] nd [ ] i [ ] h

2.

[ ] e [ ] on [ ] de

3.

h [ ] t d [ ] [ ]

문장 쑥쑥

▶정답 2쪽

A 그림에 알맞은 단어를 골라 문장을 완성하세요.

 문장
완성

1.

I'd like to have _____.
(hot dog / beef curry)

나는 소고기 카레를 먹고 싶어.

2.

I'd like to have _____.
(chocolate milk / lemonade)

나는 초콜릿 우유를 마시고 싶어.

 자신이 먹고 싶은 음식을 말할 때는 'I'd like to have (a/an)+ 음식 이름.'으로 해요.

B 그림에 알맞은 단어를 보기 에서 골라 문장을 완성하세요.

문장
쓰기

보기 lemonade   egg sandwich   vegetable pizza   hot dog

1.

I'd like to have a _____.

나는 야채 피자를 먹고 싶어.

2.

I'd like to have an _____.

나는 계란 샌드위치를 먹고 싶어.

3.

I'd like to have a _____.

나는 핫도그를 먹고 싶어.

복습 **실력** 쑥쑥

▶ 정답 2쪽

A 잘 듣고, 알맞은 단어에 동그라미 한 후 우리말 뜻을 쓰세요.

1.
| chocolate milk |
| lemonade |

뜻 _____

2.
| hot dog |
| egg sandwich |

뜻 _____

3.
| vegetable pizza |
| beef curry |

뜻 _____

B 그림에 알맞은 단어가 되도록 알파벳을 바르게 배열하여 쓰세요.

1.

_____ _____
(o c t h a o l c e) (l i m k)

2.

_____ _____
(t o h) (o g d)

3.

_____ _____
(f e b e) (u y r c r)

 차곡차곡 복습!

◉ 단어를 듣고, 우리말 뜻을 말해 보세요.

3일

VOCA

그는 곱슬머리야

He Has Curly Hair

단어

💜 **재미있는 이야기로 오늘 배울 어구를 만나 보세요.**

☀ 오늘 배울 어구를 듣고 따라 말한 후, 써 보세요.

brown eyes
갈색 눈

blue eyes
파란 눈

straight hair
생머리

curly hair
곱슬머리

yellow cap
노란 모자

green T-shirt
초록 티셔츠

🥁 위의 그림을 짚으며 찬트 해 보세요.

단어 쑥쑥

 A 잘 듣고, 알맞은 어구를 골라 기호를 쓰세요.

어구
듣기

ⓐ yellow cap　　ⓑ blue eyes　　ⓒ curly hair

1.

2.

3.

 B 그림에 알맞은 어구와 우리말 뜻을 연결하세요.

의미
연결

1. ·

· **brown eyes** ·

· 생머리

2. ·

· **green T-shirt** ·

· 갈색 눈

3. ·

· **straight hair** ·

· 초록 티셔츠

C 그림에 알맞은 어구를 보기 에서 골라 쓰세요.

보기   **brown eyes   curly hair   blue eyes   straight hair**

1.

2.

3.

4.

D 잘 듣고, 그림에 알맞은 어구를 완성하세요.

1.

e   low   c   p

2.

c   r   y   h   ir

3.

b   u   e   es

문장 쑥쑥

▶정답 3쪽

A 그림에 알맞은 어구를 골라 문장을 완성하세요.

1.

She has _____.
(curly hair / straight hair)

그녀는 생머리야.

2.

He has _____.
(brown eyes / blue eyes)

그의 눈은 갈색이야.

> 다른 사람의 머리 모양이나 눈 색깔을
> 묘사할 때는 'He(She) has +
> 모양(색깔)을 나타내는 말 +
> hair(eyes).'로 해요.

B 그림에 알맞은 어구를 보기 에서 골라 문장을 완성하세요.

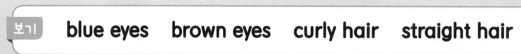

보기 **blue eyes brown eyes curly hair straight hair**

1.

He has _____.
그는 곱슬머리야.

2.

She has _____.
그녀의 눈은 파란색이야.

3.

She has _____.
그녀는 생머리야.

복습

실력 쑥쑥

1
주

A 잘 듣고, 알맞은 어구에 동그라미 한 후 우리말 뜻을 쓰세요.

1.

yellow cap
green T-shirt

뜻 _____

2.

brown eyes
blue eyes

뜻 _____

3.

straight hair
curly hair

뜻 _____

B 그림에 알맞은 어구가 되도록 알파벳을 바르게 배열하여 쓰세요.

1.

_____ _____
(r b w o n)   (s e e y)

2.

_____ _____
(y u c l r)   (i a h r)

3.

_____ _____
(w y l e o l)   (p a c)

차곡차곡 복습!

◉ 단어나 어구를 듣고, 우리말 뜻을 말해 보세요.

나는 내일 개들에게 먹이를 줄 거야

I'm Going to Feed the Dogs Tomorrow

💜 **재미있는 이야기로 오늘 배울 어구를 만나 보세요.**

❄ 오늘 배울 어구를 듣고 따라 말한 후, 써 보세요.

go on a trip
여행을 가다

see a musical
뮤지컬을 보다

meet my cousin
사촌을 만나다

build a birdhouse
새집을 만들다

feed the dogs
개들에게 먹이를 주다

ride a boat
보트를 타다

🥁 위의 그림을 짚으며 찬트 해 보세요.

단어 쑥쑥

A 잘 듣고, 알맞은 어구를 골라 기호를 쓰세요.

| ⓐ meet my cousin | ⓑ go on a trip | ⓒ feed the dogs |

1.

2.

3.

B 그림에 알맞은 어구를 연결하세요.

1.

뮤지컬을 보다

go on a trip

ride a boat

see a musical

build a birdhouse

2.

새집을 만들다

3.

보트를 타다

4.

여행을 가다

▶정답 4쪽

C 그림에 알맞은 어구를 보기 에서 골라 쓰세요.

보기 **see a musical   ride a boat   go on a trip**

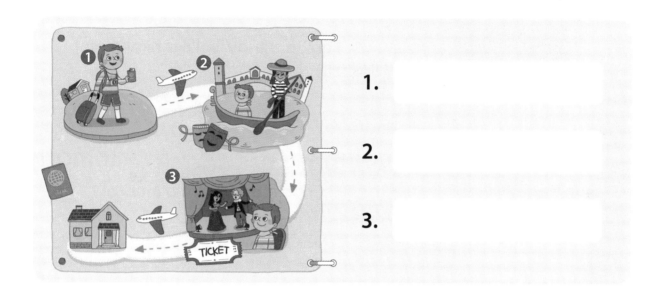

1.

2.

3.

D 잘 듣고, 그림에 알맞은 어구를 완성하세요.

1.    m e   my   ou i

2.    ee   the   o s

3.    b i d a   ir h use

문장 쓱쓱

▶정답 4쪽

A 그림에 알맞은 어구를 골라 문장을 완성하세요.

문장
완성

1.

I'm going to _____ tomorrow.

(go on a trip / build a birdhouse)

나는 내일 새집을 만들 거야.

2.

I'm going to _____ tomorrow.

(ride a boat / see a musical)

나는 내일 보트를 탈 거야.

> 'I'm going to + 동작을 나타내는 어구.'는 '나는 ~ 할 거야.'라는 뜻으로 미래의 계획을 나타내요.

B 그림에 알맞은 어구를 보기 에서 골라 문장을 완성하세요.

문장
쓰기

보기 **see a musical   feed the dogs   meet my cousin**

1.

I'm going to _____ tomorrow.

나는 내일 뮤지컬을 볼 거야.

2.

I'm going to _____ tomorrow.

나는 내일 사촌을 만날 거야.

3.

I'm going to _____ tomorrow.

나는 내일 개들에게 먹이를 줄 거야.

A 잘 듣고, 알맞은 어구에 동그라미 한 후 우리말 뜻을 쓰세요.

1.

meet my cousin / see a musical → 뜻

2.

go on a trip / build a birdhouse → 뜻

3.

feed the dogs / ride a boat → 뜻

B 그림에 알맞은 어구가 되도록 단어를 바르게 배열하여 쓰세요.

1.

_____

(a / birdhouse / build)

2.

_____

(dogs / the / feed)

3.

_____

(my / cousin / meet)

차곡차곡 복습!

◉ 단어나 어구를 듣고, 우리말 뜻을 말해 보세요.

SPECIAL VOCA

반대의 뜻을 가진
반의어

💜 **재미있는 이야기로 오늘 배울 단어를 만나 보세요.**

36 ● 똑똑한 하루 VOCA

❄ 오늘 배울 단어를 들으며 따라 말해 보세요.

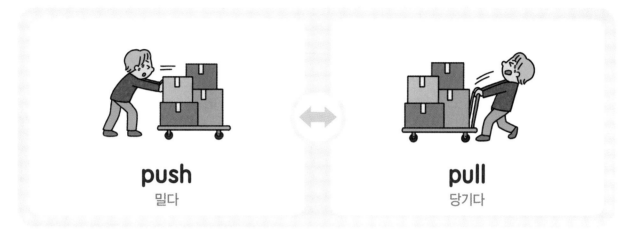

push
밀다

pull
당기다

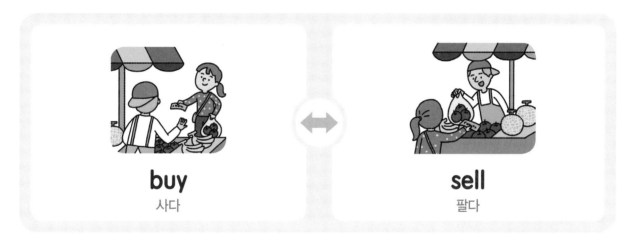

buy
사다

sell
팔다

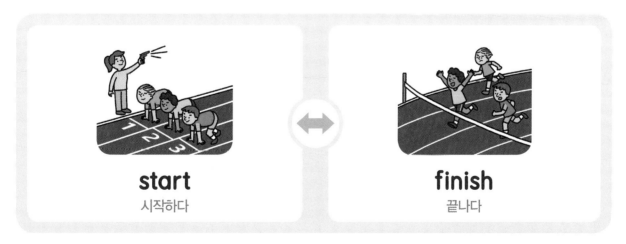

start
시작하다

finish
끝나다

🥁 위의 그림을 짚으며 찬트 해 보세요.

단어 쑥쑥

A 잘 듣고, 알맞은 단어를 골라 기호를 쓰세요.

단어
듣기

ⓐ finish ⓑ buy ⓒ push

1.

2.

3.

B 그림에 알맞은 단어를 골라 동그라미 한 후, 반대의 뜻을 가진 단어와 연결하세요.

의미
연결

1.

start
pull

당기다

finish

2.

sell
finish

팔다

push

3.

start
buy

시작하다

buy

C 그림에 알맞은 단어를 보기 에서 골라 쓰세요.

단어
쓰기

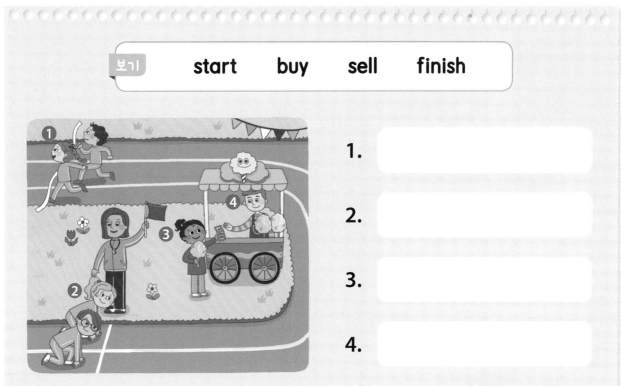

보기   **start**   **buy**   **sell**   **finish**

1.

2.

3.

4.

D 그림에 알맞은 단어를 완성하세요.

단어
완성

1.

 p   h   ⬌      u   l

2.

 u   ⬌      s   l

단어 쑥쑥 플러스

▶정답 5쪽

◉ 그림에 알맞은 단어를 보기 에서 골라 쓴 후, 반대의 뜻을 가진 단어와 연결하세요.

> 보기 finish pull sell push start buy

1.

당기다

2.

팔다

3.

사다

4.

끝나다

5.

시작하다

6.

밀다

복습

실력 쑥쑥

1
주

 A 잘 듣고, 알맞은 단어에 동그라미 한 후 우리말 뜻을 쓰세요.

1.

| start |
| finish |

뜻 _____

2.

| sell |
| buy |

뜻 _____

3.

| push |
| pull |

뜻 _____

B 그림에 알맞은 단어가 되도록 알파벳을 바르게 배열하여 쓰세요.

1.

l e s l

2.

t a s r t

3.

u p h s

4.

n h i f s i

차곡차곡 복습!

◉ 단어나 어구를 듣고, 우리말 뜻을 말해 보세요.

🧩 배운 내용을 떠올리며 말판 놀이를 해 보세요.

START

1. 그림을 보고 알맞은 단어에 동그라미 하세요.

vegetable pizza

hot dog

10. 단어를 읽고 반의어끼리 연결하세요.

push ·   · buy

sell ·   · pull

9. 그림을 보고 알파벳을 바르게 배열하여 단어를 쓰세요.

 eldeamno

→ _____

8. 어구를 읽고 알맞은 그림에 동그라미 하세요.

ride a boat

FINISH

7. 그림을 보고 알맞은 어구에 동그라미 하세요.

green T-shirt

yellow cap

2. 어구를 읽고 알맞은 그림에
   동그라미 하세요.

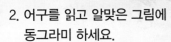

3. 그림을 보고 단어를 바르게 배열하여
   어구를 쓰세요.

a / go / trip / on

→ _____

11. 그림과 어구가 일치하면 ○ 표,
    일치하지 않으면 × 표 하세요.

blue eyes [ ]

4. 단어를 읽고 알맞은 우리말
   뜻과 연결하세요.

fourth · · 네 번째

second · · 두 번째

12. 그림에 알맞은 단어를 완성하세요.

__i__s__

5. 그림과 어구가 일치하면 ○ 표, 일치하지
   않으면 × 표 하세요.

see a musical [ ]

6. 그림에 알맞은 단어를 완성하세요.

__i__is__

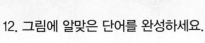

A 얼음 성의 각 층에 순서를 나타내는 단어가 숨어 있어요. 단어를 완성한 후, 암호를 풀어 얼음이가 사려고 하는 것이 무엇인지 쓰세요. (단, 암호의 첫자는 대문자로 쓰세요.)

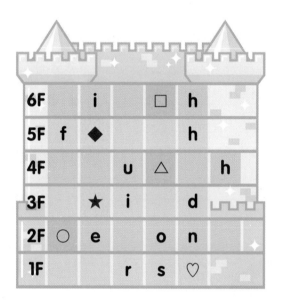

6F	i	□	h	
5F	f	◆		h
4F		u	△	h
3F	★	i	d	
2F	○	e	o	n
1F		r	s	♡

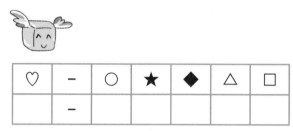

♡	–	○	★	◆	△	□
	–					

B 펭이가 점심으로 도시락을 싸 왔어요. 글자판을 따라가며 펭이가 싸 온 음식의 단어를 쓰세요.

 출발 ➡

h	o	g	h	j	e	e	f
q	t	d	k	l	b	n	c
w	d	o	m	d	e	p	u
e	o	g	n	a	x	o	r
r	a	l	r	n	w	l	r
t	s	e	m	o	v	k	y

➡ 도착

1.

2.

3.

C 준우가 자신의 아바타를 그리고 있어요. 색깔과 모양 카드에서 단어를 골라 나의 카드에 알파벳을 바르게 배열한 후, 고른 색깔과 모양에 따라 그림을 완성하세요.

색깔 카드

①nborw   ②ulbe
③lywoel   ④egner

모양 카드

①rcluy   ②tshtgria

나의 카드

1. _____ eyes

2. _____ hair

3. _____ cap

4. _____ T-shirt

D 미로를 탈출하며 만나는 알파벳으로 알맞은 단어와 우리말 뜻을 쓴 후, 반의어와 그 뜻도 쓰세요.

1.

단어:	뜻:
반의어:	뜻:

2.

단어:	뜻:
반의어:	뜻:

E 추를 두 개 옮겨 양쪽의 무게를 같게 할 때, 옮겨야 할 추에 적힌 단어와 우리말 뜻을 쓰세요. (단, 왼쪽 저울의 단어와 겹치지 않는 단어만 옮길 수 있어요.)

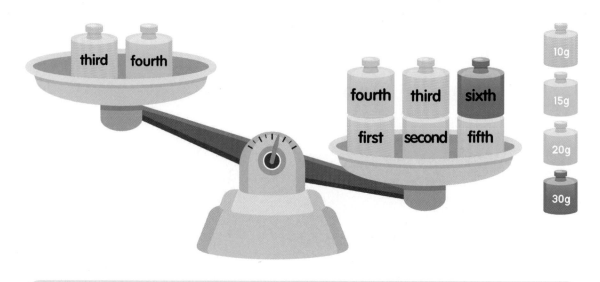

왼쪽 저울로 옮겨야 할 추	1. 단어: _____	뜻: _____
	2. 단어: _____	뜻: _____

F 몬스터들이 암호를 남기고 사라졌어요. 암호를 풀어 몬스터들이 내일 할 일을 쓰세요.
(단, 4번은 자신의 암호를 만들어 쓰고 그림을 그리세요.)

	A	B	C	D
1	boat	see	cousin	a
2	meet	go	the	birdhouse
3	on	dogs	ride	trip
4	my	feed	build	musical

1.

3, C   1, D   1, A

_____

2.

4, B   2, C   3, B

_____

3.

1, B   1, D   4, D

_____

4.

_____

1 단어에 알맞은 그림을 고르세요.

hot dog

①  ②

③  ④

2 그림에 알맞은 단어를 고르세요.

① first ② fifth

③ third ④ second

3 그림에 없는 어구를 고르세요.

① ride a boat

② go on a trip

③ feed the dogs

④ see a musical

4 그림과 어구가 일치하지 않는 것을 고르세요.

①   ②

straight hair   curly hair

③   ④

brown eyes   yellow cap

5 그림에 알맞은 단어를 보기 에서 골라 기호를 쓰세요.

보기 ⓐ push ⓑ buy ⓒ start

(1)

(2)

6 그림을 보고 문장의 빈칸에 알맞은 어구를 고르세요.

I'm going to _____ tomorrow.

① ride a boat

② meet my cousin

③ see a musical

④ build a birdhouse

7 그림에 알맞은 어구를 골라 쓰세요.

_____

(brown eyes / blue eyes)

8 그림에 알맞은 단어가 되도록 알파벳을 바르게 배열하여 쓰세요.

(1) _____

(i f h i n s)

(2) _____

(l e s l)

2주에는 무엇을 공부할까? ①

💜 재미있는 이야기로 이번 주에 공부할 내용을 알아보세요.

2주차 공부할 내용

1일 **When Is Children's Day?** 행사

2일 **It's on January 2nd** 달

3일 **My Birthday Is in December** 달

4일 **I Grow Vegetables in My Free Time** 여가 활동

5일 **SPECIAL VOCA** 다의어

A

● 여러분의 생일이 있는 달을 골라 동그라미 해 보세요.

January

February

March

April

May

June

July

August

September

October

November

December

B

2
(주)

◉ 다음 중 날짜가 언제인지 아는 행사에 동그라미 해 보세요.

school market

Children's Day

field trip

club festival

math quiz

dance contest

어린이날이 언제야?

When Is Children's Day?

💜 **재미있는 이야기로 오늘 배울 단어를 만나 보세요.**

❊ 오늘 배울 단어를 듣고 따라 말한 후, 써 보세요.

school market
학교 알뜰 시장

Children's Day
어린이날

field trip
현장 학습

club festival
동아리 축제

math quiz
수학 시험

dance contest
춤 경연 대회

🥁 위의 그림을 짚으며 찬트 해 보세요.

단어 쑥쑥

 A 잘 듣고, 알맞은 단어에 동그라미 하세요.

단어 듣기

1.

club festival

Children's Day

2.

dance contest

field trip

3.

math quiz

school market

 B 그림에 알맞은 단어를 연결하세요.

의미 연결

1.

동아리 축제

2.

학교 알뜰 시장

Children's Day

school market

math quiz

club festival

3.

어린이날

4.

수학 시험

▶정답 8쪽

C 그림에 알맞은 단어를 보기 에서 골라 쓰세요.

보기 **math quiz   Children's Day   club festival   school market**

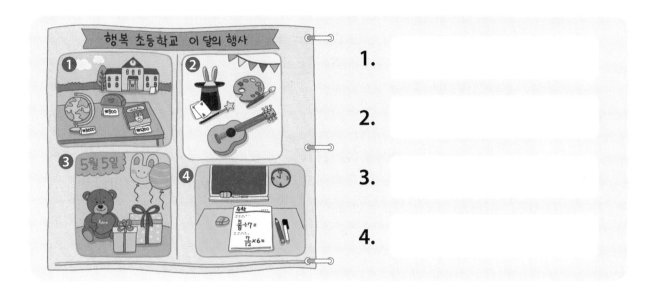

1.

2.

3.

4.

2
주

4

D 잘 듣고, 그림에 알맞은 단어를 완성하세요.

1.

da c on est

2.

s h ol m rk t

3.

i ld t i

문장 쑥쑥

▶정답 8쪽

A 그림에 알맞은 단어를 골라 문장을 완성하세요.

문장
완성

1.

When is _____?
(Children's Day / math quiz)

어린이날이 언제야?

2.

When is the _____?
(club festival / field trip)

현장 학습이 언제야?

특정 행사가 언제인지 물을 때는
'When is (the) + 행사 이름?'으로
말해요.

B 그림에 알맞은 단어를 보기 에서 골라 문장을 완성하세요.

문장
쓰기

보기   **school market   math quiz   club festival   dance contest**

1.

미술 동아리

When is the _____?

동아리 축제가 언제야?

2.

When is the _____?

학교 알뜰 시장이 언제야?

3.

When is the _____?

춤 경연 대회가 언제야?

복습

실력 쑥쑥

▶ 정답 8쪽

5

 잘 듣고, 알맞은 단어에 동그라미 한 후 우리말 뜻을 쓰세요.

1.

math quiz

field trip

뜻 _____

2.

school market

Children's Day

뜻 _____

3.

dance contest

club festival

뜻 _____

2
주

B 그림에 알맞은 단어가 되도록 알파벳을 바르게 배열하여 쓰세요.

1.

_____ _____

(d i f e l) (p r i t)

2.

_____ _____

(b u l c) (a f t e i s v l)

3.

_____ _____

(o c l o h s) (e m r k t a)

차곡차곡 복습!

◉ 단어나 어구를 듣고, 우리말 뜻을 말해 보세요.

6

그것은 1월 2일이야

단어

It's on January 2nd

💜 **재미있는 이야기로 오늘 배울 단어를 만나 보세요.**

❄️ 오늘 배울 단어를 듣고 따라 말한 후, 써 보세요.

January
1월

February
2월

March
3월

April
4월

May
5월

June
6월

🥁 위의 그림을 짚으며 찬트 해 보세요.

단어 쑥쑥

 A 잘 듣고, 알맞은 단어를 골라 기호를 쓰세요.

ⓐ **May**　　ⓑ **January**　　ⓒ **June**

1.　**01**

2.　**06**

3.　**05**

 B 그림에 알맞은 단어와 우리말 뜻을 연결하세요.

1. 　　・　　**April**　　・　　3월

2. 　　・　　**March**　　・　　2월

3. 　　・　　**February**　　・　　4월

▶정답 9쪽

C 그림에 알맞은 단어를 찾아 동그라미 한 후 빈칸에 쓰세요.

단어
쓰기

tlMaytuelpJunediJanuarytu

1.

2.

3.

D 그림을 보고, 퍼즐을 완성하세요.

단어
완성

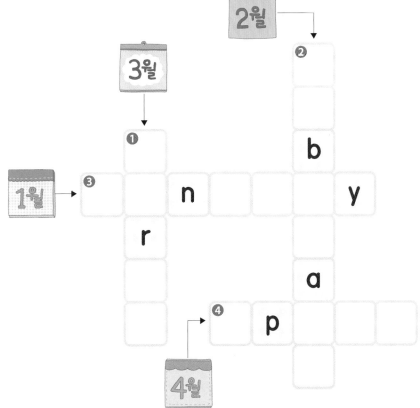

문장 쑥쑥

▶정답 9쪽

A 그림에 알맞은 단어를 골라 문장을 완성하세요.

문장완성

1.

| 5월 5일 |

It's on _____ 5th.
(June / May)

그것은 5월 5일이야.

2.

| 2월 1일 |

It's on _____ 1st.
(February / January)

그것은 2월 1일이야.

B 그림에 알맞은 단어를 보기 에서 골라 문장을 완성하세요.

> 달 이름을 나타내는 단어는 항상 대문자로 시작해요.

문장쓰기

| 보기 | **April** | **January** | **March** | **June** |

1.

6월 2일

It's on _____ 2nd.
그것은 6월 2일이야.

2.

3월 4일

It's on _____ 4th.
그것은 3월 4일이야.

3.

 4월 3일

It's on _____ 3rd.
그것은 4월 3일이야.

실력 쑥쑥

A 잘 듣고, 알맞은 단어에 동그라미 한 후 우리말 뜻을 쓰세요.

1.
April

March

뜻 _____

2.
June

February

뜻 _____

3.
May

January

뜻 _____

2 주

B 그림에 알맞은 단어가 되도록 알파벳을 바르게 배열하여 쓰세요.

1.
raunayJ

2.
ueJn

3.
lpirA

4.
rybeaurF

 차곡차곡 복습!

◉ 단어를 듣고, 우리말 뜻을 말해 보세요.

 정답 5쪽

내 생일은 12월에 있어
My Birthday Is in December

단어

💜 **재미있는 이야기로 오늘 배울 단어를 만나 보세요.**

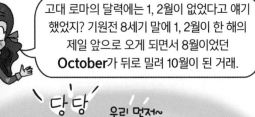

❄️ 오늘 배울 단어를 듣고 따라 말한 후, 써 보세요.

July
7월

August
8월

September
9월

October
10월

November
11월

December
12월

🥁 위의 그림을 짚으며 찬트 해 보세요.

단어 쑥쑥

 A 잘 듣고, 알맞은 단어에 동그라미 하세요.

1.

August

September

2.

July

October

3.

November

December

 B 그림에 알맞은 단어를 연결하세요.

1.
8월

2.
7월

November

July

September

August

3.
9월

4.
11월

C 그림에 알맞은 단어를 보기 에서 골라 쓰세요.

단어
쓰기

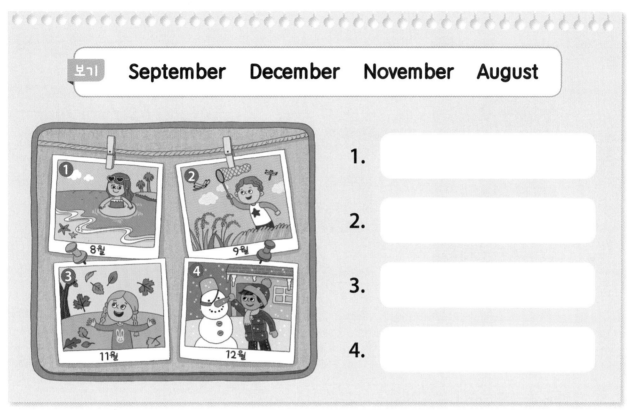

보기 September   December   November   August

1.

2.

3.

4.

2
주

D 잘 듣고, 그림에 알맞은 단어를 완성하세요.

단어
완성

1.

D c m e r

2.

c o b r

3.

u y

 A 그림에 알맞은 단어를 골라 문장을 완성하세요.

1.

My birthday is in _____.

(August / September)

내 생일은 8월에 있어.

2.

The dance contest is in _____.

(December / October)

춤 경연 대회는 10월에 있어.

특정 행사가 몇 월에 있는지
말할 때는 '행사 이름+is in +
달 이름.'으로 해요.

B 그림에 알맞은 단어를 보기 에서 골라 문장을 완성하세요.

| 보기 | September | July | November | December |

1.

The field trip is in _____.

현장 학습은 7월에 있어.

2.

My birthday is in _____.

내 생일은 9월에 있어.

3.

The school market is in _____.

학교 알뜰 시장은 11월에 있어.

복습

실력 쑥쑥

▶정답 10쪽

A 잘 듣고, 알맞은 단어에 동그라미 한 후 우리말 뜻을 쓰세요.

1.

August

December

뜻_____

2.

September

July

뜻_____

3.

November

October

뜻_____

2
주

B 그림에 알맞은 단어가 되도록 알파벳을 바르게 배열하여 쓰세요.

1.

eOrcotb

_____

2.

utgAsu

_____

3.

prbemeteS

_____

4.

eecmebDr

_____

차곡차곡 복습!

◉ 단어를 듣고, 우리말 뜻을 말해 보세요.

▶6

나는 여가 시간에 야채를 길러

단어

I Grow Vegetables in My Free Time

💜 **재미있는 이야기로 오늘 배울 어구를 만나 보세요.**

❄ 오늘 배울 어구를 듣고 따라 말한 후, 써 보세요.

2
주

grow vegetables
야채를 기르다

fly a kite
연을 날리다

bake bread
빵을 굽다

play the violin
바이올린을 연주하다

ride a horse
말을 타다

go in-line skating
인라인스케이트를 타러 가다

🥁 위의 그림을 짚으며 찬트 해 보세요.

단어 쑥쑥

A 잘 듣고, 알맞은 어구를 골라 기호를 쓰세요.

| ⓐ bake bread | ⓑ fly a kite | ⓒ play the violin |

1.

2.

3.

B 그림에 알맞은 어구를 연결하세요.

1.

야채를 기르다

play the violin

go in-line skating

ride a horse

grow vegetables

2.

말을 타다

3.
인라인스케이트를 타러 가다

4.

바이올린을 연주하다

▶정답 11쪽

C 그림에 알맞은 어구를 보기 에서 골라 쓰세요.

어구
쓰기

보기 **go in-line skating   fly a kite   ride a horse**

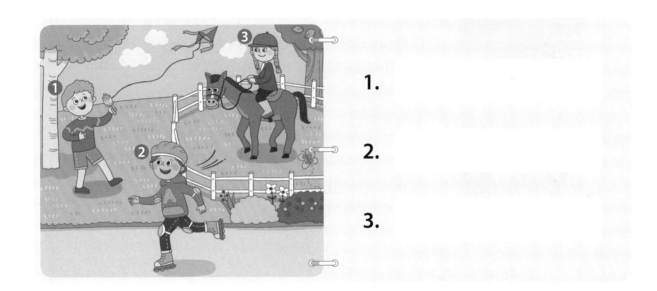

1.

2.

3.

D 잘 듣고, 그림에 알맞은 어구를 완성하세요.

어구
완성

1.

b k   r a

2.

l   a   i   e

3.

g   o   v   ge   a   les

문장 쑥쑥

▶정답 11쪽

 A 그림에 알맞은 어구를 골라 문장을 완성하세요.

문장
완성

1.

I _____ in my free time.
(fly a kite / ride a horse)
나는 여가 시간에 말을 타.

2.

I _____ in my free time.
(grow vegetables / play the violin)
나는 여가 시간에 야채를 길러.

자신이 여가 시간에 하는 일을 말할 때는 'I + 동작을 나타내는 어구 + in my free time.'으로 해요.

B 그림에 알맞은 어구를 보기 에서 골라 문장을 완성하세요.

문장
쓰기

보기	go in-line skating	bake bread	fly a kite

1.

I _____ in my free time.
나는 여가 시간에 연을 날려.

2.

I _____ in my free time.
나는 여가 시간에 빵을 구워.

3.

I _____ in my free time.
나는 여가 시간에 인라인스케이트를 타러 가.

A 잘 듣고, 알맞은 어구에 동그라미 한 후 우리말 뜻을 쓰세요.

1.
ride a horse / play the violin → 뜻

2.
go in-line skating / bake bread → 뜻

3.
fly a kite / grow vegetables → 뜻

B 그림에 알맞은 어구가 되도록 단어를 바르게 배열하여 쓰세요.

1.

_____

(violin / play / the)

2.

_____

(kite / a / fly)

3.

_____

(in-line / go / skating)

차곡차곡 복습!

◉ 단어나 어구를 듣고, 우리말 뜻을 말해 보세요.

SPECIAL VOCA
스페셜

여러 가지 뜻을 가진
다의어

💜 **재미있는 이야기로 오늘 배울 단어를 만나 보세요.**

😊 오늘 배울 단어를 들으며 따라 말해 보세요.

fall
❶ 가을
❷ 떨어지다

dress
❶ 드레스
❷ 옷을 입다

shop
❶ 상점
❷ 쇼핑하다

break
❶ 쉬는 시간
❷ 깨다

🎵 위의 그림을 짚으며 찬트 해 보세요.

단어 쑥쑥

A 잘 듣고, 알맞은 단어를 골라 기호를 쓰세요.

단어
듣기

ⓐ fall   ⓑ shop   ⓒ dress

1.

2.

3.

B 그림에 알맞은 단어를 연결하세요.

의미
연결

1.

쉬는 시간   깨다

• shop

• fall

• dress

• break

2.

상점   쇼핑하다

C 그림에 알맞은 단어를 보기 에서 골라 쓰세요.

단어
쓰기

2
주

보기 **fall** **break** **dress** **shop**

1.

2.

3.

4.

D 잘 듣고, 그림에 알맞은 단어를 완성하세요.

단어
완성

4

1.

d e

2.

a l

단어 쑥쑥 플러스

▶정답 12쪽

◉ 단어를 따라 쓴 후, 알맞은 뜻을 모두 찾아 연결하세요.

1. fall •

상점

옷을 입다

2. shop •

가을

깨다

3. break •

드레스

쇼핑하다

4. dress •

쉬는 시간

떨어지다

복습

실력 쑥쑥

5

 A 잘 듣고, 알맞은 단어에 동그라미 한 후 우리말 뜻을 모두 쓰세요.

2
주

1.

shop

break

뜻 _____

2.

fall

dress

뜻 _____

3.

break

shop

뜻 _____

B 그림에 알맞은 단어가 되도록 알파벳을 바르게 배열하여 쓰세요.

1.

e b k r a

2.

h p o s

3.

e s r d s

 차곡차곡 복습!

◉ 단어나 어구를 듣고, 우리말 뜻을 말해 보세요.

6

배운 내용을 떠올리며 말판 놀이를 해 보세요.

1. 그림을 보고 알맞은 단어에 동그라미 하세요.

dance contest

field trip

2. 단어를 읽고 알맞은 그림에 동그라미 하세요.

December

3. 그림을 보고 단어를 바르게 배열하여 어구를 쓰세요.

violin / the / play

→ _____

4. 단어를 읽고 알맞은 우리말 뜻과 연결하세요.

February · · 10월

October · · 2월

5. 그림과 단어가 일치하면 ○ 표, 일치하지 않으면 × 표 하세요.

club festival □

6. 그림에 알맞은 단어를 완성하세요.

d__es__

9. 그림을 보고 알파벳을 바르게 배열하여 단어를 쓰세요.

kebar

→ _____

10. 다음 두 가지 뜻을 가지고 있는 단어를 쓰세요.

→ _____

8. 어구를 읽고 알맞은 그림에 동그라미 하세요.

fly a kite

11. 그림과 단어가 일치하면 ○ 표, 일치하지 않으면 × 표 하세요.

March

12. 그림에 알맞은 단어를 완성하세요.

s__h__ol __ar__et

7. 그림을 보고 알맞은 단어에 동그라미 하세요.

math quiz

field trip

FINISH

A 얼음이가 실수로 음료를 쏟아 행사 포스터의 글씨와 날짜가 지워졌어요. 단서 를 참고하여 행사 이름과 날짜를 영어로 쓰세요.

단서

dance contest

6월 15일

① 학교 알뜰 시장은 춤 경연 대회보다 14일 빠르다.
② 현장 학습은 학교 알뜰 시장보다 5일 늦다.

1.

s　ol m　et

월　일

행사: _____

날짜: _____

2.

f　ld t　p

월　일

행사: _____

날짜: _____

B 누군가 병마다 어울리지 않는 단어를 넣었어요. 어울리지 않는 단어들을 골라 어구를 쓴 후, 각 동작을 하기 위해 필요한 물건을 보기 에서 골라 우리말로 쓰세요.

a

fly
horse
kite
a

b

violin
ride
the
play

c

go
skating
a
in-line

1. 어구: _____

2. 필요한 물건

a _____

b _____

c _____

보기

C 준우와 펭이가 달 이름으로 피라미드 쌓기 놀이를 하고 있어요. 단서 를 참고하여 각 층의
달의 이름을 완성한 후, 암호를 풀어 펭이의 생일이 있는 달이 언제인지 쓰세요.

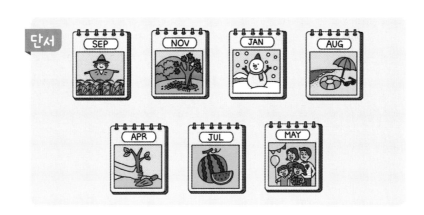

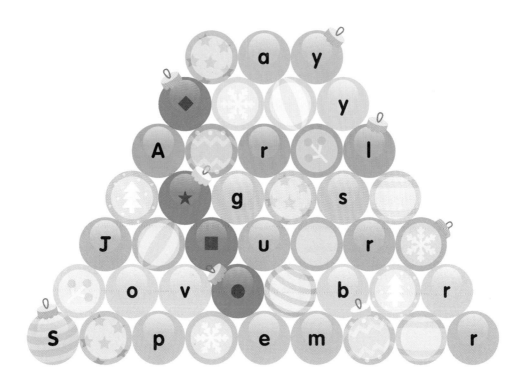

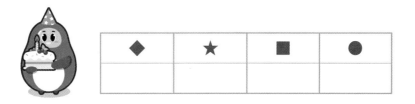

D 몬스터들이 단어 서바이벌 게임을 하고 있어요. 보기 에서 각 단계의 지시에 맞게 살아남은 단어를 쓴 후, 마지막까지 살아남은 단어와 두 가지 우리말 뜻을 쓰세요.

보기   fall   dress   shop   break

1단계
같은 철자가 있거나 철자 수가 5개인 단어는 살아남습니다.
_____

2단계
'가을'과 '떨어지다'라는 뜻을 가진 단어는 탈락합니다.
_____

3단계
여자아이가 입는 옷을 나타내는 단어는 탈락합니다.
_____

우승
단어: _____

뜻 1: _____   뜻 2: _____

E AI 로봇과 퀴즈 대결을 하고 있어요. 질문에 알맞은 달 이름을 보기 에서 골라 쓰세요.

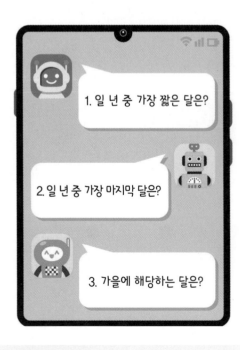

보기   March   October
        December   February

1. 일 년 중 가장 짧은 달은?

2. 일 년 중 가장 마지막 달은?

3. 가을에 해당하는 달은?

1. _____

2. _____

3. _____

F 펭이가 미로를 통과해 남극으로 가야 해요. 미로를 빠져나가며 만나는 그림에 알맞은 여가 활동에 관한 어구를 완성하세요.

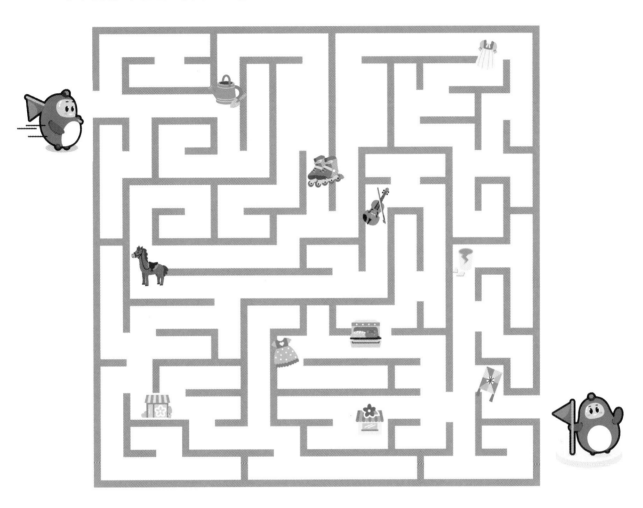

_____ vegetables ➡ go _____ ➡ _____ a horse

⬇

fly a _____ ⬅ _____ bread ⬅ play the _____

1 단어에 알맞은 그림을 고르세요.

April

①
②
③
④

2 그림에 알맞은 단어를 고르세요.

① dance contest
② school market
③ Children's Day
④ club festival

3 그림에 없는 어구를 고르세요.

① fly a kite
② ride a horse
③ bake bread
④ go in-line skating

4 그림과 단어가 일치하지 않는 것을 고르세요.

①
September

②
November

③
December

④
October

5 그림에 알맞은 단어를 보기 에서 골라 기호를 쓰세요.

보기　ⓐ fall　ⓑ dress　ⓒ shop

(1)

(2)

6 그림을 보고 문장의 빈칸에 알맞은 어구를 고르세요.

I _____ in my free time.

① bake bread

② grow vegetables

③ play the violin

④ ride a horse

7 그림에 알맞은 단어를 골라 쓰세요.

_____

(math quiz / field trip)

8 그림에 알맞은 단어가 되도록 알파벳을 바르게 배열하여 쓰세요.

(1) _____

(e d s r s)

(2) _____

(a r b k e)

💜 재미있는 이야기로 이번 주에 공부할 내용을 알아보세요.

3주차 공부할 내용

1일 How Can I Get to the Shopping Center? 장소

2일 It's Behind the Bookstore 위치

3일 I Want to Be a Comedian 직업

4일 I Want to Help Sick People 하고 싶은 일

5일 SPECIAL VOCA 다의어

A

◉ 다음 중 여러분이 길을 찾아가 본 적이 있는 장소에 동그라미 해 보세요.

police station

airport

bookstore

restaurant

shopping center

hospital

B

◉ 여러분이 되고 싶은 것에 동그라미 해 보세요.

comedian

traveler

nurse

photographer

zookeeper

car engineer

쇼핑센터에 어떻게 갈 수 있어?

How Can I Get to the Shopping Center?

💜 **재미있는 이야기로 오늘 배울 단어를 만나 보세요.**

❄️ 오늘 배울 단어를 듣고 따라 말한 후, 써 보세요.

police station
경찰서

airport
공항

bookstore
서점

restaurant
식당, 레스토랑

shopping center
쇼핑센터

hospital
병원

🥁 위의 그림을 짚으며 찬트 해 보세요.

단어 쏙쏙

 A 잘 듣고, 알맞은 단어에 동그라미 하세요.

1.

airport

police station

2.

hospital

restaurant

3.

bookstore

shopping center

 B 그림에 알맞은 단어를 연결하세요.

1.
경찰서

hospital

restaurant

shopping center

police station

2.
쇼핑센터

3.
병원

4.
식당, 레스토랑

▶ 정답 15쪽

C 그림에 알맞은 단어를 보기 에서 골라 쓰세요.

단어
쓰기

보기 **restaurant   shopping center   bookstore   police station**

1.

2.

3.

4.

D 잘 듣고, 그림에 알맞은 단어를 완성하세요.

4

단어
완성

1.

oo sto e

2.

a rp rt

3.

h sp t l

문장 쑥쑥

▶정답 15쪽

A 그림에 알맞은 단어를 골라 문장을 완성하세요.

1.

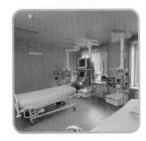

How can I get to the _____?
(restaurant / hospital)

병원에 어떻게 갈 수 있어?

2.

How can I get to the _____?
(shopping center / bookstore)

쇼핑센터에 어떻게 갈 수 있어?

길을 물을 때는 'How can I get to the + 장소 이름?' 으로 말해요.

B 그림에 알맞은 단어를 보기 에서 골라 문장을 완성하세요.

| 보기 | airport | restaurant | bookstore | police station |

1.

How can I get to the _____?
경찰서에 어떻게 갈 수 있어?

2.

How can I get to the _____?
공항에 어떻게 갈 수 있어?

3.

How can I get to the _____?
서점에 어떻게 갈 수 있어?

복습

실력 쑥쑥

▶정답 15쪽

5

A 잘 듣고, 알맞은 단어에 동그라미 한 후 우리말 뜻을 쓰세요.

1.
police station

hospital

뜻 _____

2.
airport

shopping center

뜻 _____

3.
bookstore

restaurant

뜻 _____

3주

B 그림에 알맞은 단어가 되도록 알파벳을 바르게 배열하여 쓰세요.

1.  oiatrpr

2.  olhastip

3.  ternsatrua

4.  toebrokos

차곡차곡 복습!

◉ 단어나 어구를 듣고, 우리말 뜻을 말해 보세요.

6

그것은 서점 뒤에 있어

It's Behind the Bookstore

단어

💜 **재미있는 이야기로 오늘 배울 단어나 어구를 만나 보세요.**

오늘 배울 단어나 어구를 듣고 따라 말한 후, 써 보세요.

next to
~ 옆에

behind
~ 뒤에

between
~ 사이에

in front of
~ 앞에

across
가로질러

around
~ 주위에

위의 그림을 짚으며 찬트 해 보세요.

단어 쑥쑥

 A 잘 듣고, 알맞은 단어를 골라 기호를 쓰세요.

| ⓐ across | ⓑ around | ⓒ between |

1.

2.

3.

 B 그림에 알맞은 단어 또는 어구와 우리말 뜻을 연결하세요.

1.
 · · next to · · ~ 뒤에

2.
 · · in front of · · ~ 옆에

3.
 · · behind · · ~ 앞에

C 그림에 알맞은 단어나 어구를 [보기]에서 골라 쓰세요.

단어
쓰기

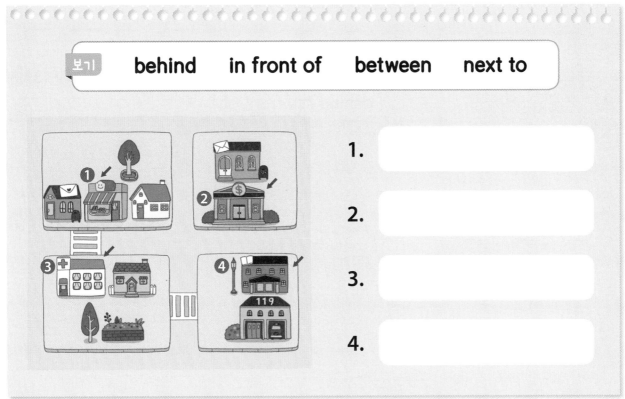

[보기] behind   in front of   between   next to

1.

2.

3.

4.

3
주

D 잘 듣고, 그림에 알맞은 단어를 완성하세요.

단어
완성

1.

2.

3.

c   o   s   a   ou   d   e   w   en

문장 쑥쑥

 A 그림에 알맞은 단어나 어구를 골라 문장을 완성하세요.

문장
완성

1.

It's _____ the shopping center.
(behind / in front of)

그것은 쇼핑센터 뒤에 있어.

2.

It's _____ the police station.
(between / next to)

그것은 경찰서 옆에 있어.

B 그림에 알맞은 단어나 어구를 보기 에서 골라 문장을 완성하세요.

특정 장소의 위치를 설명할 때는
'It's + 위치를 나타내는 말 +
장소 이름.'으로 해요.

문장
쓰기

보기 **across   in front of   next to   between**

1.

It's _____ the restaurant.

그것은 식당 앞에 있어.

2.

It's _____ the airport.

그것은 공항 옆에 있어.

3.

It's _____ the hospital and
the bookstore.

그것은 병원과 서점 사이에 있어.

▶정답 16쪽

 복습

실력 쑥쑥

A 잘 듣고, 알맞은 단어나 어구에 동그라미 한 후 우리말 뜻을 쓰세요.

 5

1.

around
in front of

뜻 _____

2.

next to
between

뜻 _____

3.

behind
across

뜻 _____

3
주

B 그림에 알맞은 단어가 되도록 알파벳을 바르게 배열하여 쓰세요.

1.

u d a o r n

2.

e b n t e w e

3.

s o c a r s

4.

h d b n i e

 차곡차곡 복습!

◉ 단어나 어구를 듣고, 우리말 뜻을 말해 보세요.

 6

나는 코미디언이 되고 싶어

I Want to Be a Comedian

단어

♥ 재미있는 이야기로 오늘 배울 단어를 만나 보세요.

✻ 오늘 배울 단어를 듣고 따라 말한 후, 써 보세요.

comedian
코미디언

traveler
여행가

nurse
간호사

photographer
사진작가

zookeeper
사육사

car engineer
자동차 기술자

🥁 위의 그림을 짚으며 찬트 해 보세요.

단어 쑥쑥

A 잘 듣고, 알맞은 단어에 동그라미 하세요.

1.

photographer

nurse

2.

zookeeper

car engineer

3.

comedian

traveler

B 그림에 알맞은 단어를 연결하세요.

1.

코미디언

zookeeper

photographer

comedian

car engineer

2.

자동차 기술자

3.

사진작가

4.

사육사

▶정답 17쪽

C 그림에 알맞은 단어를 보기 에서 골라 쓰세요.

보기 **zookeeper   traveler   car engineer   photographer**

1.

2.

3.

4.

D 잘 듣고, 그림에 알맞은 단어를 완성하세요.

4

1.

n [ ] r [ ] e [ ]

2.

ra [ ] e [ ] er

3.

co [ ] ed [ ] an

문장 쑥쑥

▶정답 17쪽

A 그림에 알맞은 단어를 골라 문장을 완성하세요.

1.

I want to be a _____.
(comedian / photographer)

나는 사진작가가 되고 싶어.

2.

I want to be a _____.
(car engineer / zookeeper)

나는 자동차 기술자가 되고 싶어.

B 그림에 알맞은 단어를 [보기]에서 골라 문장을 완성하세요.

> 자신이 되고 싶은 것을 말할 때는
> 'I want to be a(an) + 직업 이름.'
> 으로 해요.

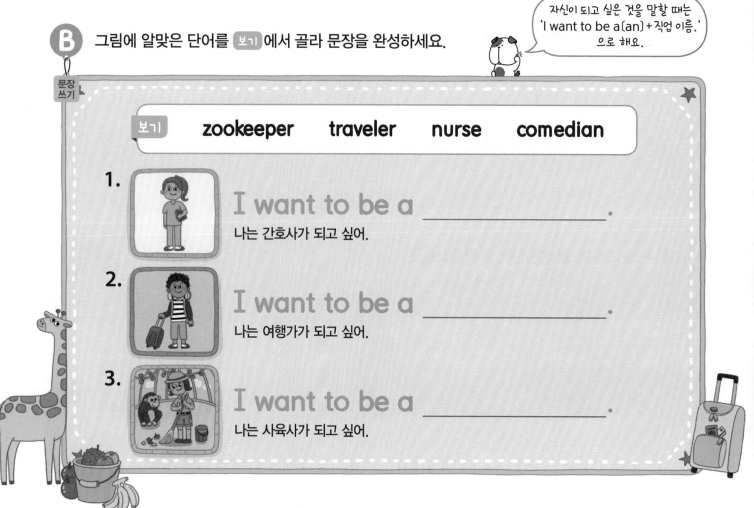

[보기] zookeeper   traveler   nurse   comedian

1.

I want to be a _____.
나는 간호사가 되고 싶어.

2.

I want to be a _____.
나는 여행가가 되고 싶어.

3.

I want to be a _____.
나는 사육사가 되고 싶어.

A 잘 듣고, 알맞은 단어에 동그라미 한 후 우리말 뜻을 쓰세요.

1.
| traveler |
| car engineer |

뜻 _____

2.
| zookeeper |
| comedian |

뜻 _____

3.
| nurse |
| photographer |

뜻 _____

3
주

B 그림에 알맞은 단어가 되도록 알파벳을 바르게 배열하여 쓰세요.

1.
dcnoaeim

2.
ertealvr

3.
uersn

4.
ozoeperke

◉ 단어나 어구를 듣고, 우리말 뜻을 말해 보세요.

4일

VOCA

나는 아픈 사람들을 돕고 싶어

I Want to Help Sick People

단어

💜 **재미있는 이야기로 오늘 배울 어구를 만나 보세요.**

위인관

나의 롤 모델은 알베르트 슈바이처 박사야.

아, 그 유명한 번개 머리 모양의 과학자?

아니야. 아프리카에서 자신의 평생을 바쳐 **help sick people** 하신 의사야. 나도 의사가 돼서 아프리카의 아픈 사람들을 돕고 싶어.

나도 데려가면 안 돼? 나는 **take care of animals** 하고 싶어. 내가 동물들의 마음을 잘 읽잖아.

그럼 나도 갈래. 나는 소중한 순간을 포착해서 **take good pictures** 하고 싶어.

즐거운 상상 ♪

아프리카로 출발!

목에 가시가 걸렸어요.

그건 내 전문이에요. 고개를 좀 숙이세요!

손… 손이 안 닿아!!

찰칵!

여러분, 차례대로 한 분씩 오세요.

진료소

동물 진료소

❄ 오늘 배울 어구를 듣고 따라 말한 후, 써 보세요.

make people happy
사람들을 행복하게 만들다

travel to many countries
많은 나라를 여행하다

help sick people
아픈 사람들을 돕다

take good pictures
멋진 사진을 찍다

take care of animals
동물들을 돌보다

make a race car
경주용 자동차를 만들다

🥁 위의 그림을 짚으며 찬트 해 보세요.

단어 쑥쑥

A 잘 듣고, 알맞은 어구를 골라 기호를 쓰세요.

어구
듣기

ⓐ **make a race car**　　ⓑ **travel to many countries**

ⓒ **take care of animals**

1.

2.

3.

B 그림에 알맞은 어구를 연결하세요.

의미
연결

1.

사람들을
행복하게 만들다

take good
pictures

take care of
animals

make people
happy

help sick
people

2.

아픈 사람들을
돕다

3.

동물들을
돌보다

4.

멋진 사진을
찍다

▶ 정답 18쪽

 그림에 알맞은 어구를 보기 에서 골라 쓰세요.

어구
쓰기

보기 **take care of animals   take good pictures   help sick people**

1.

2.

3.

 잘 듣고, 그림에 알맞은 어구를 완성하세요.

어구
완성

1.

m ☐ k ☐ a ☐ a ☐ e car

2.

ra ☐ el to many ☐ oun ☐ ries

3.

☐ a ☐ e p ☐ o ☐ le h ☐ pp

문장 쑥쑥

▶정답 18쪽

 A 그림에 알맞은 어구를 골라 문장을 완성하세요.

문장
완성

1.

I want to _____.

(help sick people / travel to many countries)

나는 아픈 사람들을 돕고 싶어.

2.

I want to _____.

(take care of animals / take good pictures)

나는 멋진 사진을 찍고 싶어.

자신이 하고 싶은 일을 말할 때는
'I want to+동작을 나타내는 어구.'로
해요.

B 그림에 알맞은 어구를 보기 에서 골라 문장을 완성하세요.

문장
쓰기

| 보기 | take care of animals   make a race car
make people happy |

1.

I want to _____.

나는 경주용 자동차를 만들고 싶어.

2.

I want to _____.

나는 동물들을 돌보고 싶어.

3.

I want to _____.

나는 사람들을 행복하게 만들고 싶어.

복습

실력 쑥쑥

▶ 정답 18쪽

A 잘 듣고, 알맞은 어구에 동그라미 한 후 우리말 뜻을 쓰세요.

1. make people happy / take care of animals → 뜻

2. make a race car / help sick people → 뜻

3. travel to many countries / take good pictures → 뜻

B 그림에 알맞은 어구가 되도록 단어를 바르게 배열하여 쓰세요.

1.

_____
(race / a / make / car)

2.

_____
(countries / to / travel / many)

3.

_____
(care / animals / take / of)

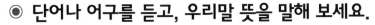 차곡차곡 복습!

◉ 단어나 어구를 듣고, 우리말 뜻을 말해 보세요.

SPECIAL VOCA
스페셜

여러 가지 뜻을 가진
다의어

💜 **재미있는 이야기로 오늘 배울 단어를 만나 보세요.**

☀️ 오늘 배울 단어와 어구를 들으며 따라 말해 보세요.

have
❶ 가지고 있다
❷ 먹다

❶ **have a doll**
인형을 가지고 있다

❷ **have lunch**
점심을 먹다

take
❶ 가져가다
❷ (교통수단을) 타다

❶ **take an umbrella**
우산을 가져가다

❷ **take a bus**
버스를 타다

make
❶ 만들다
❷ (무엇이 생기게) 하다

❶ **make a robot**
로봇을 만들다

❷ **make a noise**
시끄럽게 하다

🥁 위의 그림을 짚으며 찬트 해 보세요.

단어 쑥쑥

 A 잘 듣고, 알맞은 어구에 동그라미 하세요.

1.

make a robot

make a noise

2.

have lunch

have a doll

3.

take an umbrella

take a bus

 B 그림에 알맞은 어구와 우리말 뜻을 연결하세요.

1.

have lunch · · 시끄럽게 하다

2.

take a bus · · 버스를 타다

3.

make a noise · · 점심을 먹다

▶정답 19쪽

C 그림에 알맞은 어구를 보기 에서 골라 쓰세요.

보기   **make a noise**   **take a bus**   **have lunch**

1.

2.

3.

D 잘 듣고, 그림에 알맞은 어구를 완성하세요.

1.

a doll

2.

an umbrella

3.

a robot

단어 쑥쑥 플러스

▶ 정답 19쪽

◎ 그림에 알맞은 어구를 찾아 연결한 후 완성하세요.

1.

_____ a doll

2.

_____ an umbrella

3.

_____ a robot

4.

_____ a bus

5.

_____ a noise

6.

_____ lunch

A 잘 듣고, 알맞은 어구에 동그라미 한 후 우리말 뜻을 쓰세요.

1.

take an umbrella

take a bus

뜻 _____

2.

have lunch

have a doll

뜻 _____

3.

make a robot

make a noise

뜻 _____

3
주

B 그림에 알맞은 어구가 되도록 단어를 바르게 배열하여 쓰세요.

1.

_____

(umbrella / take / an)

2.

_____

(doll / a / have)

3.

_____

(robot / make / a)

 차곡차곡 복습!

◉ 단어나 어구를 듣고, 우리말 뜻을 말해 보세요.

배운 내용을 떠올리며 말판 놀이를 해 보세요.

START

1. 그림을 보고 알맞은 단어에 동그라미 하세요.

airport

bookstore

2. 어구를 읽고 알맞은 그림에 동그라미 하세요.

next to

4. 단어를 읽고 알맞은 우리말 뜻과 연결하세요.

between • • ~ 사이에

behind • • ~ 뒤에

3. 그림을 보고 단어를 바르게 배열하여 어구를 쓰세요.

sick / help / people

→ _____

5. 그림과 단어가 일치하면 O 표, 일치하지 않으면 X 표 하세요.

photographer [ ]

6. 그림에 알맞은 단어를 완성하세요.

__os__it__l

9. 그림을 보고 알파벳을 바르게 배열하여 단어를 쓰세요.

rodnua

→ _____

10. 다음 두 가지 뜻을 가지고 있는 단어를 쓰세요.

→ _____

11. 그림과 단어가 일치하면 ○ 표, 일치하지 않으면 × 표 하세요.

police station [ ]

8. 어구를 읽고 알맞은 그림에 동그라미 하세요.

take good pictures

12. 그림에 알맞은 어구를 완성 하세요.

_____ an umbrella

7. 그림을 보고 알맞은 단어에 동그라미 하세요.

nurse

comedian

A 친구들이 자신의 꿈에 대해 이야기하고 있어요. 친구들의 꿈을 찾아 단어를 하나씩 지우면 펭이의 꿈이 남아요. 펭이의 꿈이 무엇인지 찾아 단어와 우리말 뜻을 쓰세요.

1. 내 꿈은 카메라가 필요해.

2. 내 꿈은 동물과 관련이 있어.

3. 내 꿈은 사람들에게 웃음을 줘.

4. 내 꿈은 자동차와 관련이 있어.

5. 내 꿈은 아픈 사람들을 돌볼 수 있어.

car engineer	photographer
traveler	comedian
nurse	zookeeper

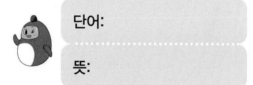

단어:

뜻:

B 단서 를 참고하여 어구를 연결한 후, 암호를 풀어 직업을 나타내는 단어를 완성하세요.

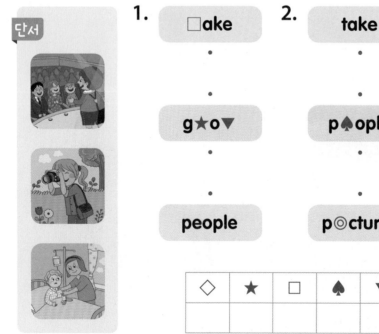

단서

1. □ake

   g★o▼

   people

2. take

   p♠ople

   p◎ctures

3. help

   si◇k

   h♣ppy

◇	★	□	♠	▼	◎	♣
						n

C 외계인이 장소 찾기 놀이를 하고 있어요. 단서 와 보기 를 참고하여 장소의 위치를 찾아
단어를 쓰세요. (단, 도착한 곳에서 출발해야 해요.)

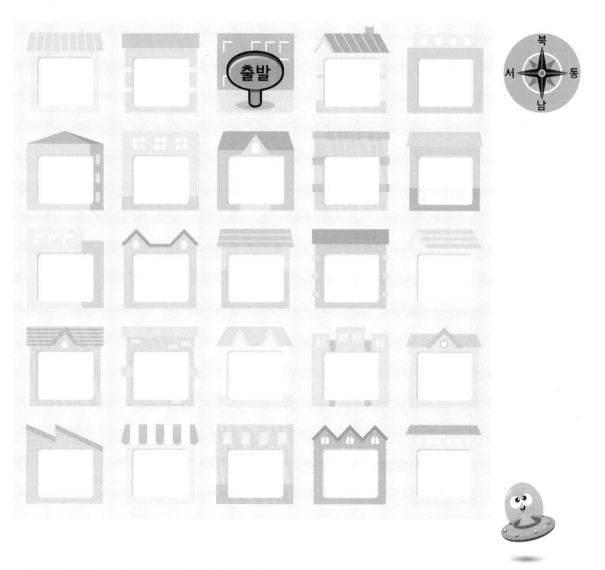

단서
1. 동2, 남1

2. 서3, 남3

3. 북1, 동2

4. 북2, 서3

보기 hospital
bookstore
police station
restaurant
shopping center
airport

D 펭이가 빙고 놀이를 하고 있어요. 그림에 알맞은 어구를 완성하며 두 줄 빙고를 완성하세요.

make	an umbrella	a robot
a doll	lunch	have
take	a noise	a bus

1.
_____ a noise

2.
have _____

3.
_____ a bus

E 얼음이가 보물이 숨겨진 지도를 발견했어요. 지도를 보고 단서 에서 지워진 단어를 쓰세요.

1. _____

2. _____

3. _____

4. _____

단서 1. in ⬛ of the restaurant   2. ⬛ the bookstore and the hospital
3. ⬛ to the police station   4. ⬛ the shopping center

F 컴퓨터에 바이러스가 침입해 단어를 어떤 규칙에 의해 모두 바꾸어 놓았어요. 단서를 보고 규칙을 찾아 어구를 바르게 쓴 후, 알맞은 그림에 번호를 쓰세요.

Level 4 A • **131**

1 어구에 알맞은 그림을 고르세요.

next to

① 　②

③ 　④

2 그림에 알맞은 단어를 고르세요.

① restaurant

② shopping center

③ police station

④ hospital

3 그림에 없는 어구를 고르세요.

① help sick people

② take care of animals

③ take good pictures

④ make people happy

4 그림과 단어가 일치하지 않는 것을 고르세요.

①　　②　

comedian　　　traveler

③　　④　

photographer　　zookeeper

5 그림에 알맞은 단어를 보기 에서 골라 기호를 쓰세요.

> 보기 ⓐ bookstore ⓑ hospital
> ⓒ airport

(1)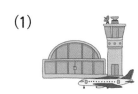

(2)

6 그림을 보고 문장의 빈칸에 알맞은 어구를 고르세요.

I want to _____.

① travel to many countries

② make a race car

③ take care of animals

④ help sick people

7 그림에 알맞은 어구를 골라 쓰세요.

_____

(have a doll / have lunch)

8 그림에 알맞은 단어가 되도록 알파벳을 바르게 배열하여 쓰세요.

(1) _____

(e b n e t e w)

(2) _____

(e d b n i h)

4주에는 무엇을 공부할까? ❶

💜 재미있는 이야기로 이번 주에 공부할 내용을 알아보세요.

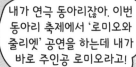

4주차 공부할 내용

1일 **What Are You Going to Do This Summer?**

2일 **When Is the Field Trip?**

3일 **What Do You Do in Your Free Time?**

4일 **How Can I Get to the Museum?**

5일 **What Do You Want to Be?**

A

◉ 은별이의 여름 계획을 골라 ✔ 표 해 보세요.

What are you going to do this summer?

I'm going to meet my cousin.

| 말 타기 ☐ | 사촌 만나기 ☐ | 연 날리기 ☐ |

답▶ 사촌 만나기

◉ 준우의 장래 희망이 무엇인지 우리말로 쓰세요.

장래 희망: _____

답 작가

너는 이번 여름에 뭐 할 거야?

What Are You Going to Do This Summer?

💜 **재미있는 이야기로 오늘 배울 표현을 만나 보세요.**

❊ 오늘 배울 표현을 들으며 따라 말해 보세요.

> **What are you going to do this summer?**
> 너는 이번 여름에 뭐 할 거야?

> **I'm going to fly a kite.**
> 나는 연을 날릴 거야.

fly a kite
연을 날리다

ride a horse
말을 타다

grow vegetables
야채를 기르다

meet my cousin
사촌을 만나다

feed the dogs
개들에게 먹이를 주다

go on a trip
여행을 가다

문장 쓰며 실력 쑥쑥

A 그림에 알맞은 어구에 동그라미 한 후 쓰세요.

1.

   ride a horse

   feed the dogs

   _____

   _____

2.

   meet my cousin

   go on a trip

   _____

   _____

B 어구를 따라 쓴 후 알맞은 그림에 연결하세요.

1. grow vegetables •

2. go on a trip •

3. fly a kite •

▶ 정답 22쪽

C 그림에 알맞은 어구에 동그라미 한 후 문장을 완성하세요.

1.

ride a horse

feed the dogs

I'm going to _____.
나는 말을 탈 거야.

2.

fly a kite

grow vegetables

I'm going to _____.
나는 야채를 기를 거야.

D 그림에 알맞은 어구를 보기 에서 골라 문장을 완성하세요.

보기

fly a kite   meet my cousin
feed the dogs   go on a trip

1.

I'm going to _____.
나는 개들에게 먹이를 줄 거야.

2.

I'm going to _____.
나는 여행을 갈 거야.

3.

I'm going to _____.
나는 연을 날릴 거야.

대화 완성하며 실력 쑥쑥

A 그림을 보고, 질문에 알맞은 대답에 ✔ 표 하세요.

1.

What are you going to do this summer?

☐ I'm going to fly a kite.

☐ I'm going to ride a horse.

2.

What are you going to do this summer?

☐ I'm going to meet my cousin.

☐ I'm going to go on a trip.

> 이번 여름의 계획을 물을 때는 What are you going to do this summer?로 하고, 'I'm going to + 할 일.'로 대답해요.

B 그림을 보고, 단어나 어구를 바르게 배열하여 대답을 쓰세요.

1.

A: **What are you going to do this summer?**
너는 이번 여름에 뭐 할 거야?

B: _____

(grow / I'm going to / vegetables)
나는 야채를 기를 거야.

2.

A: **What are you going to do this summer?**
너는 이번 여름에 뭐 할 거야?

B: _____

(the dogs / I'm going to / feed)
나는 개들에게 먹이를 줄 거야.

C 그림에 알맞은 대화를 완성하세요.

1.

A: What are you going to do this summer?

B: I'm going to _____.

2.

A: What are you going to do this summer?

B: I'm going to _____.

3.

A: What are you going to do this summer?

B: _____

창의 서술형

D 여러분이 이번 여름에 하려는 일을 그린 후 질문에 알맞은 대답을 쓰세요.

A: What are you going to do this summer?

B: _____

현장 학습이 언제야?

쓰기

When Is the Field Trip?

💜 **재미있는 이야기로 오늘 배울 표현을 만나 보세요.**

❄ 오늘 배울 표현을 들으며 따라 말해 보세요.

When is the school market?
학교 알뜰 시장이 언제야?

It's on April sixth.
4월 6일이야.

school market
학교 알뜰 시장

Apr. 6th

April sixth
4월 6일

field trip
현장 학습

Jun. 1st

June first
6월 1일

math quiz
수학 시험

Oct. 3rd

October third
10월 3일

4
주

문장 쓰며 실력 쑥쑥

A 그림에 알맞은 단어에 동그라미 한 후 쓰세요.

1.

dance contest

Children's Day

_____

_____

2.

school market

math quiz

_____

_____

3.

field trip

club festival

_____

_____

B 단어를 따라 쓴 후 알맞은 그림에 연결하세요.

1. Children's Day ·

2. school market ·

3. club festival ·

C 그림에 알맞은 어구에 동그라미 한 후 문장을 완성하세요.

1.

5월 5일

May fifth

June fifth

It's on _____.

그것은 5월 5일이야.

2.

7월 2일

April second

July second

It's on _____.

그것은 7월 2일이야.

D 그림에 알맞은 단어를 보기 에서 골라 문장을 완성하세요.

보기   field trip   school market
        club festival   math quiz

1.

When is the _____?

수학 시험이 언제야?

2.

When is the _____?

동아리 축제가 언제야?

3.

When is the _____?

현장 학습이 언제야?

대화 완성하며 실력 쑥쑥

A 그림을 보고, 질문에 알맞은 대답에 ✔ 표 하세요.

1.

When is the school market?

4월 6일

☐ It's on April sixth.

☐ It's on July sixth.

2.

When is the math quiz?

10월 1일

☐ It's on December first.

☐ It's on October first.

특정 행사가 언제인지 물을 때는
'When is + 행사 이름?'으로 하고,
'It's on + 월 + 일.'로 대답해요.

B 그림을 보고, 단어나 어구를 바르게 배열하여 질문을 쓰세요.

1.

10월 4일

A: _____

(is / the field trip / When)
현장 학습이 언제야?

B: It's on October fourth.
10월 4일이야.

2.

1월 3일

A: _____

(the dance contest / is / When)
춤 경연 대회가 언제야?

B: It's on January third.
1월 3일이야.

C 그림에 알맞은 대화를 완성하세요.

1.

A: When is Children's Day?

B: It's on _____.

2.

A: When is the club festival?

B: It's on _____.

3.

A: When is the math quiz?

B: _____

D 날짜가 언제인지 궁금한 행사를 그린 후 대화를 완성하세요.

A: When is the _____?

B: _____

너는 여가 시간에 뭐 해?

쓰기

What Do You Do in Your Free Time?

💜 **재미있는 이야기로 오늘 배울 표현을 만나 보세요.**

❄ 오늘 배울 표현을 들으며 따라 말해 보세요.

What do you do in your free time?
너는 여가 시간에 뭐 해?

I bake bread.
나는 빵을 구워.

bake bread
빵을 굽다

play the violin
바이올린을 연주하다

go in-line skating
인라인스케이트를 타러 가다

see a musical
뮤지컬을 보다

ride a boat
보트를 타다

build a birdhouse
새집을 만들다

4주

문장 쓰며 실력 쑥쑥

A 그림에 알맞은 어구에 동그라미 한 후 쓰세요.

1.

   play the violin

   go in-line skating

   _____
   _____

2.

   build a birdhouse

   see a musical

   _____
   _____

B 어구를 따라 쓴 후 알맞은 그림에 연결하세요.

1. bake bread ·
   _____

2. see a musical ·
   _____

3. ride a boat ·
   _____

C 그림에 알맞은 어구에 동그라미 한 후 문장을 완성하세요.

1.

play the violin

ride a boat

I _____.
나는 바이올린을 연주해.

2.

see a musical

bake bread

I _____.
나는 빵을 구워.

D 그림에 알맞은 어구를 보기 에서 골라 문장을 완성하세요.

보기

go in-line skating   ride a boat
build a birdhouse   see a musical

1.

I _____
나는 새집을 만들어.

2.

I _____
나는 인라인스케이트를 타러 가.

3.

I _____
나는 뮤지컬을 봐.

대화 완성하며 실력 쑥쑥

A 그림을 보고, 질문에 알맞은 대답에 ✔ 표 하세요.

1.

What do you do in your free time?

☐ I play the violin.

☐ I bake bread.

2.

What do you do in your free time?

☐ I ride a boat.

☐ I see a musical.

> 여가 시간에 무엇을 하는지 물을 때는 What do you do in your free time? 으로 하고, 'I + 하는 일.'로 대답해요.

B 그림을 보고, 단어를 바르게 배열하여 대답을 쓰세요.

1.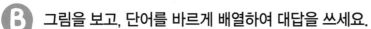

A: **What do you do in your free time?**
너는 여가 시간에 뭐 해?

B: _____
(skating / go / I / in-line)
나는 인라인스케이트를 타러 가.

2.

A: **What do you do in your free time?**
너는 여가 시간에 뭐 해?

B: _____
(a / build / I / birdhouse)
나는 새집을 만들어.

▶정답 24쪽

C 그림에 알맞은 대화를 완성하세요.

1.

A: What do you do in your free time?

B: I _____ .

2.

A: What do you do in your free time?

B: I _____ .

3.

A: What do you do in your free time?

B: _____

D 여러분이 여가 시간에 하는 일을 그린 후 질문에 알맞은 대답을 쓰세요.

A: What do you do in your free time?

B: _____

박물관에 어떻게 갈 수 있어?

How Can I Get to the Museum?

💜 재미있는 이야기로 오늘 배울 표현을 만나 보세요.

오늘 배울 표현을 들으며 따라 말해 보세요.

How can I get to the museum?
박물관에 어떻게 갈 수 있어?

Go straight. It's next to the post office.
쭉 가. 그것은 우체국 옆에 있어.

museum
박물관

next to
~ 옆에

police station
경찰서

in front of
~ 앞에

bookstore
서점

behind
~ 뒤에

문장 쓰며 실력 쑥쑥

A 그림에 알맞은 단어에 동그라미 한 후 쓰세요.

1.

restaurant

police station

2.

bookstore

museum

3.

hospital

post office

B 단어나 어구를 따라 쓴 후 알맞은 그림에 연결하세요.

1.  between

2. in front of

3. behind

C 그림에 알맞은 단어에 동그라미 한 후 문장을 완성하세요.

1.
hospital

bookstore

How can I get to the _____?

서점에 어떻게 갈 수 있어?

2.
restaurant

post office

How can I get to the _____?

식당에 어떻게 갈 수 있어?

D 그림에 알맞은 단어나 어구를 보기 에서 골라 문장을 완성하세요.

보기   **between**   **next to**   **behind**   **in front of**

1.

It's _____ the police station.

그것은 경찰서 앞에 있어.

2.

It's _____ the post office.

그것은 우체국 뒤에 있어.

3.

It's _____ the museum.

그것은 박물관 옆에 있어.

대화 완성하며 실력 쑥쑥

A 그림을 보고, 질문에 알맞은 대답에 ✓ 표 하세요.

1.

> How can I get to the museum?

☐ Go straight. It's next to the hospital.

☐ Go straight. It's next to the bookstore.

2.

> How can I get to the restaurant?

☐ Go straight. It's behind the post office.

☐ Go straight. It's behind the museum.

> 특정 장소의 위치를 설명할 때는 behind, next to, between 등의 위치를 나타내는 말을 사용해요.

B 그림을 보고, 단어나 어구를 바르게 배열하여 질문을 쓰세요.

1.

A: _____

(I / get to / can / the police station / How)
경찰서에 어떻게 갈 수 있어?

B: Go straight. It's in front of the hospital.
쭉 가. 그것은 병원 앞에 있어.

2.

A: _____

(I / How / the post office / get to / can)
우체국에 어떻게 갈 수 있어?

B: Go straight. It's between the museum and the bookstore.
쭉 가. 그것은 박물관과 서점 사이에 있어.

▶정답 25쪽

C 그림에 알맞은 대화를 완성하세요.

1.

A: How can I get to the police station?

B: Go straight. It's _____ .

2.

A: How can I get to the bookstore?

B: Go straight. It's _____ .

3.

A: How can I get to the post office?

B: Go straight. _____

4
주

창의 서술형

D 여러분이 찾아가고 싶은 장소의 위치를 그린 후 대화를 완성하세요.

A: How can I get to the _____ ?

B: Go straight. _____

너는 무엇이 되고 싶어?

What Do You Want to Be?

쓰기

💜 재미있는 이야기로 오늘 배울 표현을 만나 보세요.

❄ 오늘 배울 표현을 들으며 따라 말해 보세요.

**What do you
want to be?**
너는 무엇이 되고 싶어?

**I want to be
a writer.**
나는 작가가 되고 싶어.

writer
작가

traveler
여행가

photographer
사진작가

nurse
간호사

car engineer
자동차 기술자

painter
화가

4
주

문장 쓰며 실력 쑥쑥

A 그림에 알맞은 단어에 동그라미 한 후 쓰세요.

1.

nurse

traveler

_____
_____
_____

2.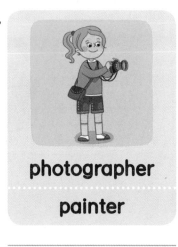

photographer

painter

_____
_____
_____

3.

writer

car engineer

_____
_____
_____

B 단어를 따라 쓴 후 알맞은 그림에 연결하세요.

1.
   nurse
   •

2.
   painter
   •

3. writer
   •

▶정답 26쪽

C 그림에 알맞은 단어에 동그라미 한 후 문장을 완성하세요.

1.

writer

nurse

I want to be a _____.
나는 간호사가 되고 싶어.

2.

traveler

painter

I want to be a _____.
나는 화가가 되고 싶어.

D 그림에 알맞은 단어를 보기 에서 골라 문장을 완성하세요.

보기   photographer   car engineer   traveler   writer

1.

I want to be a _____.
나는 사진작가가 되고 싶어.

2.

I want to be a _____.
나는 여행가가 되고 싶어.

3.

I want to be a _____.
나는 작가가 되고 싶어.

대화 완성하며 실력 쑥쑥

A 그림을 보고, 질문에 알맞은 대답에 ✔ 표 하세요.

1.

What do you want to be?

☐ I want to be a nurse.

☐ I want to be a traveler.

2.

What do you want to be?

☐ I want to be a car engineer.

☐ I want to be a painter.

> 장래 희망이 무엇인지 물을 때는 What do you want to be?로 하고, 'I want to be a(an) + 직업 이름.'으로 대답해요.

B 그림을 보고, 단어나 어구를 바르게 배열하여 대답을 쓰세요.

1.

A: **What do you want to be?**
너는 무엇이 되고 싶어?

B: _____

(want to / a photographer / I / be)
나는 사진작가가 되고 싶어.

2.

A: **What do you want to be?**
너는 무엇이 되고 싶어?

B: _____

(I / a painter / be / want to)
나는 화가가 되고 싶어.

▶ 정답 26쪽

C 그림에 알맞은 대화를 완성하세요.

1.

A: What do you want to be?

B: I want to be a _____ .

2.

A: What do you want to be?

B: I want to be a _____ .

3.

A: What do you want to be?

B: _____

창의 서술형

D 여러분의 장래 희망을 그린 후 질문을 알맞은 대답을 쓰세요.

A: What do you want to be?

B: _____

🧩 배운 내용을 떠올리며 말판 놀이를 해 보세요.

START

1. 대화를 읽고 그림이 내용과 일치하면 ○ 표, 일치하지 않으면 × 표 하세요.

A: What do you want to be?
B: I want to be a nurse.

2. 대화를 읽고 알맞은 그림에 동그라미 하세요.

A: What do you do in your free time?
B: I build a birdhouse.

3. 그림을 보고 대화를 완성하세요.

A: When is the _____?
B: It's on June 15th.

5. 질문을 읽고 그림에 알맞은 대답을 골라 ✓ 표 하세요.

What are you going to do this summer?

I'm going to grow vegetables.

I'm going to feed the dogs.

4. 질문과 대답을 바르게 연결하세요.

When is the math quiz? · · I fly a kite.

What do you do in your free time? · · It's on May 20th.

6. 대화를 읽고 서점이 어디에 있는지 우리말로 쓰세요.

> A: How can I get to the bookstore?
> B: Go straight. It's behind the museum.

서점은 _____ 있다.

7. 단어를 바르게 배열하여 대화를 완성하세요.

> A: What are you going to do this summer?
> B: I'm going to _____.
> (my / meet / cousin)

8. 그림을 보고 대화를 완성하세요.

> A: What do you want to be?
> B: I want to be a _____.

9. 대화를 읽고 알맞은 그림에 동그라미 하세요.

> A: How can I get to the museum?
> B: Go straight. It's next to the post office.

10. 대화를 읽고 그림이 내용과 일치하면 ○ 표, 일치하지 않으면 × 표 하세요.

> A: What do you do in your free time?
> B: I bake bread.

FINISH

A 준우 엄마가 학교 행사 날짜를 적어 둔 메모지가 찢어졌어요. 단서 를 참고하여 엄마와 준우의 대화를 완성하세요.

1. **d trip** 3월

2. **arket** 5월

3. **estival** 8월

단서 2

August sixth **March third** **May first**

When is the _____ ?

It's on May _____ .

When is the _____ festival?

It's on _____ _____ .

When is the _____ trip?

It's on _____ _____ .

B 토끼가 집으로 가는 길을 잃어버렸어요. 그림과 어구가 일치하는 길을 따라간 후 도착한
집의 그림을 이용하여 대화를 완성하세요.

 What are you going to do this summer?

C 지시에 따라 활동하며 대화를 완성하세요.

[STEP 1] 단서 의 그림 순서대로 징검다리를 따라가며 단어를 완성한 후, 나타나는 패턴을 그리세요.

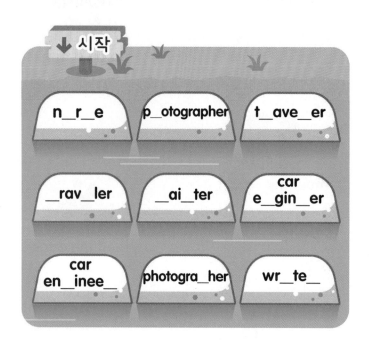

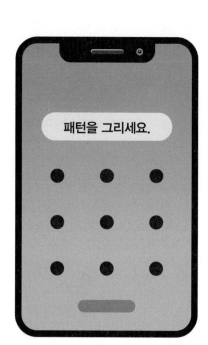

[STEP 2] 단서 에는 없고 징검다리에는 있는 단어로 대화를 완성하세요.

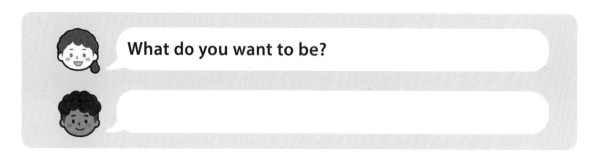

What do you want to be?

D 주사위의 각 면은 두 가지 단어를 나타내요. 단서 를 참고하여 어구를 완성한 후, 그림에 없는 어구를 찾아 대화를 완성하세요.

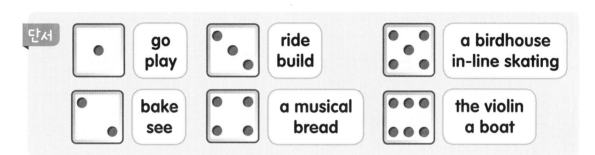

단서

| ⚀ | go / play | ⚁ | ride / build | ⚃ | a birdhouse / in-line skating |
| ⚂ | bake / see | ⚃ | a musical / bread | ⚅ | the violin / a boat |

1.

2.

3.

4.

Q: What do you do in your free time?

1 문장을 읽고 알맞은 그림을 고르세요.

I bake bread.

①  ②

③  ④

2 그림을 보고 문장의 빈칸에 알맞은 단어를 고르세요.

When is the _____?

① school market

② field trip

③ math quiz

④ dance contest

3 그림을 보고 알맞은 문장을 고르세요.

① I want to be a nurse.

② I want to be a photographer.

③ I want to be a writer.

④ I want to be a car engineer.

4 대화를 읽고 알맞은 그림을 고르세요.

A: What are you going to do this summer?

B: I'm going to go on a trip.

①  ②

③  ④

5 그림을 보고 대화의 빈칸에 알맞은 말이 바르게 짝 지어진 것을 고르세요.

A: How can I get to the _____?

B: Go straight. It's _____ the hospital.

① bookstore - next to

② police station - in front of

③ museum - behind

④ post office - between

6 그림을 보고 남자아이가 할 말로 알맞은 것을 고르세요.

A: What do you want to be?

B: _____

① I want to be a painter.

② I want to be a car engineer.

③ I want to be a writer.

④ I want to be a traveler.

7 그림을 보고 빈칸에 알맞은 어구를 골라 쓰세요.

A: When is the school market?

B: It's on _____.

(March sixth / April sixth)

8 그림을 보고 단어를 바르게 배열하여 대화를 완성하세요.

A: What do you do in your free time?

B: _____

(skating / go / I / in-line)

1주 1일

first	☐	second	☐
third	☐	fourth	☐
fifth	☐	sixth	☐

1주 2일

beef curry	☐	vegetable pizza	☐
egg sandwich	☐	hot dog	☐
lemonade	☐	chocolate milk	☐

1주 3일

brown eyes	☐	blue eyes	☐
straight hair	☐	curly hair	☐
yellow cap	☐	green T-shirt	☐

1주 4일

go on a trip	☐	see a musical	☐
meet my cousin	☐	build a birdhouse	☐
feed the dogs	☐	ride a boat	☐

1주 5일

push	☐	pull	☐
buy	☐	sell	☐
start	☐	finish	☐

2주 1일

school market ☐	Children's day ☐
field trip ☐	club festival ☐
math quiz ☐	dance contest ☐

2주 2일

January ☐	February ☐
March ☐	April ☐
May ☐	June ☐

2주 3일

July ☐	August ☐
September ☐	October ☐
November ☐	December ☐

2주 4일

grow vegetables ☐	fly a kite ☐
bake bread ☐	play the violin ☐
ride a horse ☐	go in-line skating ☐

2주 5일

fall ☐	dress ☐
shop ☐	break ☐

3주 1일

police station	☐	airport	☐
bookstore	☐	restaurant	☐
shopping center	☐	hospital	☐

3주 2일

next to	☐	behind	☐
between	☐	in front of	☐
across	☐	around	☐

3주 3일

comedian	☐	traveler	☐
nurse	☐	photographer	☐
zookeeper	☐	car engineer	☐

3주 4일

make people happy	☐	travel to many countries	☐
help sick people	☐	take good pictures	☐
take care of animals	☐	make a race car	☐

3주 5일

have a doll	☐	have lunch	☐
take an umbrella	☐	take a bus	☐
make a robot	☐	make a noise	☐

memo

memo

fourth	vegetable pizza	chocolate milk	curly hair
third	beef curry	lemonade	straight hair
second	sixth	hot dog	blue eyes
first	fifth	egg sandwich	brown eyes

see a musical	go on a trip	green T-shirt	yellow cap
ride a boat	feed the dogs	build a birdhouse	meet my cousin
sell	buy	pull	push
Children's Day	school market	finish	start

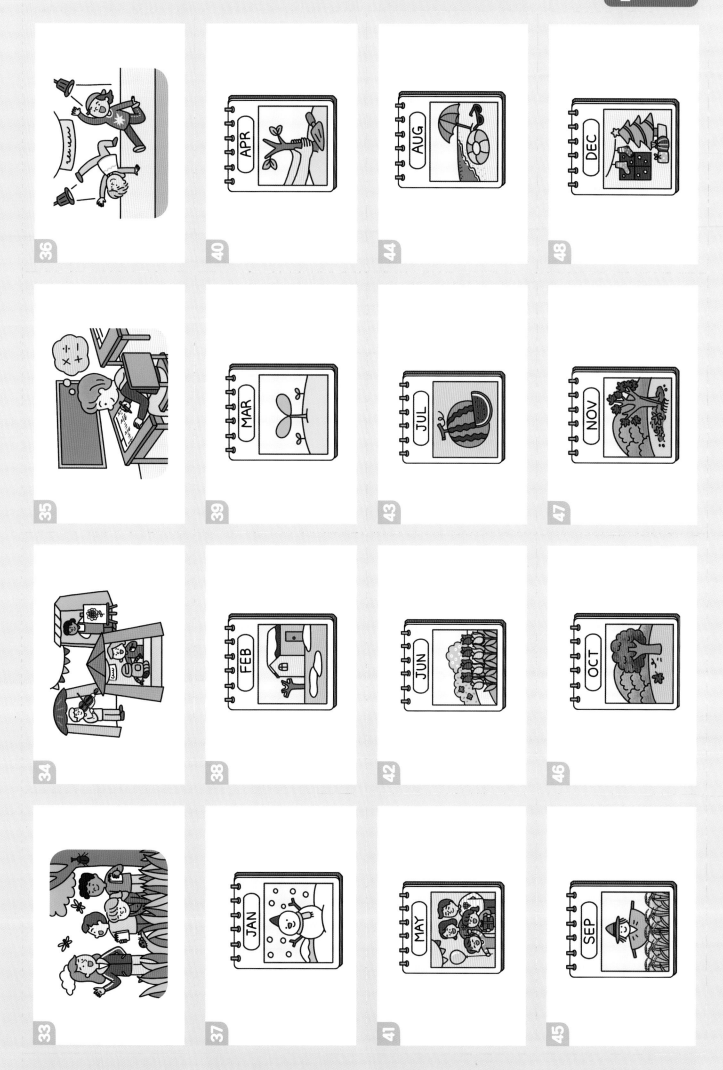

dance contest	April	August	December
math quiz	March	July	November
club festival	February	June	October
field trip	January	May	September

play the violin	fall	shop	airport
bake bread	fall	shop	police station
fly a kite	go in-line skating	dress	break
grow vegetables	ride a horse	dress	break

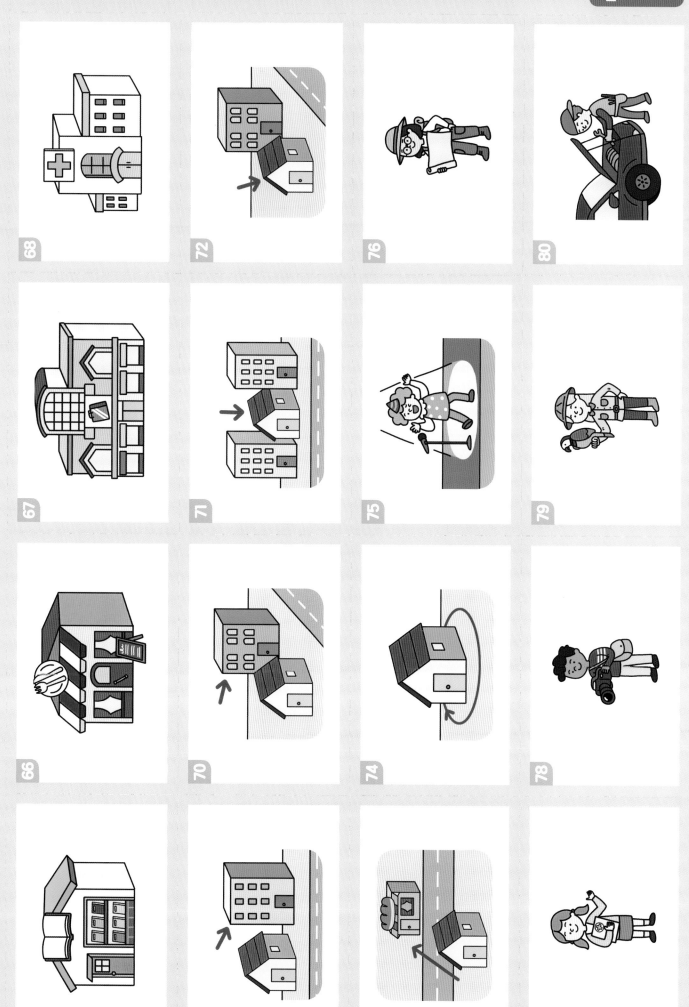

hospital	in front of	traveler	car engineer
shopping center	between	comedian	zookeeper
restaurant	behind	around	photographer
bookstore	next to	across	nurse

take good pictures	help sick people	travel to many countries	make people happy
have lunch	have a doll	make a race car	take care of animals
make a noise	make a robot	take a bus	take an umbrella

나는 그 누구보다도 실수를 많이 한다.
그리고 그 실수들 대부분에서
특허를 받아낸다.

I make more mistakes than anybody
and get a patent from those mistakes.

토마스 에디슨

실수는 '이제 난 안돼, 끝났어'라는 의미가 아니에요.
성공에 한 발자국 가까이 다가갔으니, 더 도전해보면 성공할 수 있다는
메시지랍니다. 그러니 실수를 두려워하지 마세요.

뭘 좋아할지 몰라 다 준비했어♥
전과목 교재

전과목 시리즈 교재

● 무등생 해법시리즈
- 국어/수학   1~6학년, 학기용
- 사회/과학   3~6학년, 학기용
- 봄·여름/가을·겨울   1~2학년, 학기용
- SET(전과목/국수, 국사과)   1~6학년, 학기용

● 똑똑한 하루 시리즈
- 똑똑한 하루 독해   예비초~6학년, 총 14권
- 똑똑한 하루 글쓰기   예비초~6학년, 총 14권
- 똑똑한 하루 어휘   예비초~6학년, 총 14권
- 똑똑한 하루 수학   1~6학년, 학기용
- 똑똑한 하루 계산   예비초~6학년, 총 14권
- 똑똑한 하루 사고력   1~6학년, 학기용
- 똑똑한 하루 도형   예비초~6학년, 단계별
- 똑똑한 하루 사회/과학   3~6학년, 학기용
- 똑똑한 하루 봄/여름/가을/겨울   1~2학년, 총 8권
- 똑똑한 하루 안전   1~2학년, 총 2권
- 똑똑한 하루 Voca   3~6학년, 학기용
- 똑똑한 하루 Reading   초3~초6, 학기용
- 똑똑한 하루 Grammar   초3~초6, 학기용
- 똑똑한 하루 Phonics   예비초~초등, 총 8권

● 초등 문해력 독해가 힘이다
- 비문학편   3~6학년, 단계별

영어 교재

● 초등영어 교과서 시리즈
    파닉스(1~4단계)   3~6학년, 학년용
    회화(입문1~2, 1~6단계)   3~6학년, 학기용
    영단어(1~4단계)   3~6학년, 학년용

● 셀파 English(어휘/회화/문법)   3~6학년

● Reading Farm(Level 1~4)   3~6학년

● Grammar Town(Level 1~4)   3~6학년

● LOOK BOOK 영단어   3~6학년, 단행본

● 원서 읽는 LOOK BOOK 영단어   3~6학년, 단행본

● 멘토 Story Words   2~6학년, 총 6권

똑 똑 한

하루
VOCA

매일매일
쌓이는
영어 기초력

천재교육

정답

6학년 영어

4A

천재교육

1주
1일

1일 VOCA 단어 쑥쑥

I'm in the Sixth Grade

▶정답 1쪽

A 잘 듣고, 알맞은 단어를 골라 기호를 쓰세요.

ⓐ second ⓑ first ⓒ third

1. c
2. a
3. b

B 그림에 알맞은 단어와 우리말 뜻을 연결하세요.

1. — fifth — 여섯 번째
2. — fourth — 네 번째
3. — sixth — 다섯 번째

C 그림에 알맞은 단어를 찾아 동그라미 한 후 빈칸에 쓰세요.

s t h i r d e l p f i r s t i r s e c o n d k j s

1. third
2. second
3. first

D 그림을 보고, 퍼즐을 완성하세요.

5th
6th → s i x t h 3rd
f f h
i t h i r d
4th → f o u r t h

14 ㆍ 똑똑한 하루 VOCA

Level 4 A ㆍ 15

1일 VOCA 문장 쑥쑥

▶정답 1쪽

A 그림에 알맞은 단어를 골라 문장을 완성하세요.

1. I'm in the __fourth__ grade.
(third / fourth)
나는 4학년이야.

2. I'm in the __sixth__ grade.
(sixth / fifth)
나는 6학년이야.

나가 몇 학년인지 말할 때는 'I'm in the + 순서를 나타내는 말 + grade.'로 해요.

B 그림에 알맞은 단어를 보기 에서 골라 문장을 완성하세요.

보기 third   second   fifth   first

1. I'm in the __first__ grade.
나는 1학년이야.

2. I'm in the __third__ grade.
나는 3학년이야.

3. I'm in the __fifth__ grade.
나는 5학년이야.

복습 실력 쑥쑥

I'm in the Sixth Grade

▶정답 1쪽

A 잘 듣고, 알맞은 단어에 동그라미 한 후 우리말 뜻을 쓰세요.

1. fifth / (sixth) — 여섯 번째
2. (second) / third — 두 번째
3. first / (fourth) — 네 번째

B 그림에 알맞은 단어가 되도록 알파벳을 바르게 배열하여 쓰세요.

1. dtrhi → third
2. rftls → first
3. huortf → fourth
4. ihtff → fifth

1. third 2. fifth 3. sixth 4. fourth 5. first 6. second

차곡차곡 복습

◎ 단어를 듣고, 우리말 뜻을 말해 보세요.

1. 세 번째 2. 다섯 번째 3. 여섯 번째 4. 네 번째 5. 첫 번째
6. 두 번째

16 ㆍ 똑똑한 하루 VOCA

Level 4 A ㆍ 17

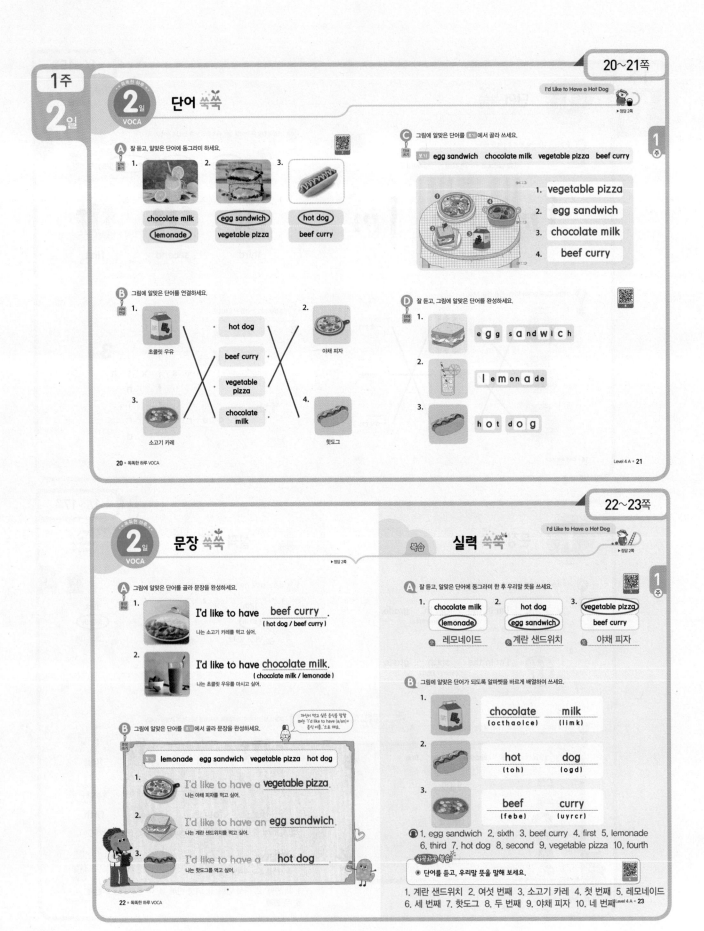

1주
2일

2일 VOCA 단어 쑥쑥

I'd Like to Have a Hot Dog

A 잘 듣고, 알맞은 단어에 동그라미 하세요.

1. chocolate milk / (lemonade)
2. (egg sandwich) / vegetable pizza
3. (hot dog) / beef curry

B 그림에 알맞은 단어를 연결하세요.

1. 초콜릿 우유 — chocolate milk
2. 야채 피자 — vegetable pizza
3. 소고기 카레 — beef curry
4. 핫도그 — hot dog

(hot dog / beef curry / vegetable pizza / chocolate milk)

C 그림에 알맞은 단어를 보기에서 골라 쓰세요.

보기 egg sandwich chocolate milk vegetable pizza beef curry

1. vegetable pizza
2. egg sandwich
3. chocolate milk
4. beef curry

D 잘 듣고, 그림에 알맞은 단어를 완성하세요.

1. e g g s a n d w i c h
2. l e m o n a de
3. h o t d o g

20 • 똑똑한 하루 VOCA

Level 4 A • 21

2일 VOCA 문장 쑥쑥

복습 실력 쑥쑥

I'd Like to Have a Hot Dog

A 그림에 알맞은 단어를 골라 문장을 완성하세요.

1. I'd like to have beef curry.
(hot dog / beef curry)
나는 소고기 카레를 먹고 싶어.

2. I'd like to have chocolate milk.
(chocolate milk / lemonade)
나는 초콜릿 우유를 마시고 싶어.

B 그림에 알맞은 단어를 보기에서 골라 문장을 완성하세요.

자신이 먹고 싶은 음식을 말할
때는 'I'd like to have (a/an)+
음식 이름.'으로 해요.

보기 lemonade egg sandwich vegetable pizza hot dog

1. I'd like to have a vegetable pizza.
나는 야채 피자를 먹고 싶어.

2. I'd like to have an egg sandwich.
나는 계란 샌드위치를 먹고 싶어.

3. I'd like to have a hot dog.
나는 핫도그를 먹고 싶어.

A 잘 듣고, 알맞은 단어에 동그라미 한 후 우리말 뜻을 쓰세요.

1. chocolate milk / hot dog
(lemonade) / (egg sandwich)
레모네이드 / 계란 샌드위치

3. (vegetable pizza) / beef curry
야채 피자

B 그림에 알맞은 단어가 되도록 알파벳을 바르게 배열하여 쓰세요.

1. chocolate milk
(octhaolce) (limk)

2. hot dog
(toh) (ogd)

3. beef curry
(febe) (uyrcr)

정답 1. egg sandwich 2. sixth 3. beef curry 4. first 5. lemonade
6. third 7. hot dog 8. second 9. vegetable pizza 10. fourth

자곡자곡 복습
● 단어를 듣고, 우리말 뜻을 말해 보세요.
1. 계란 샌드위치 2. 여섯 번째 3. 소고기 카레 4. 첫 번째 5. 레모네이드
6. 세 번째 7. 핫도그 8. 두 번째 9. 야채 피자 10. 네 번째

22 • 똑똑한 하루 VOCA

Level 4 A • 23

1주 3일

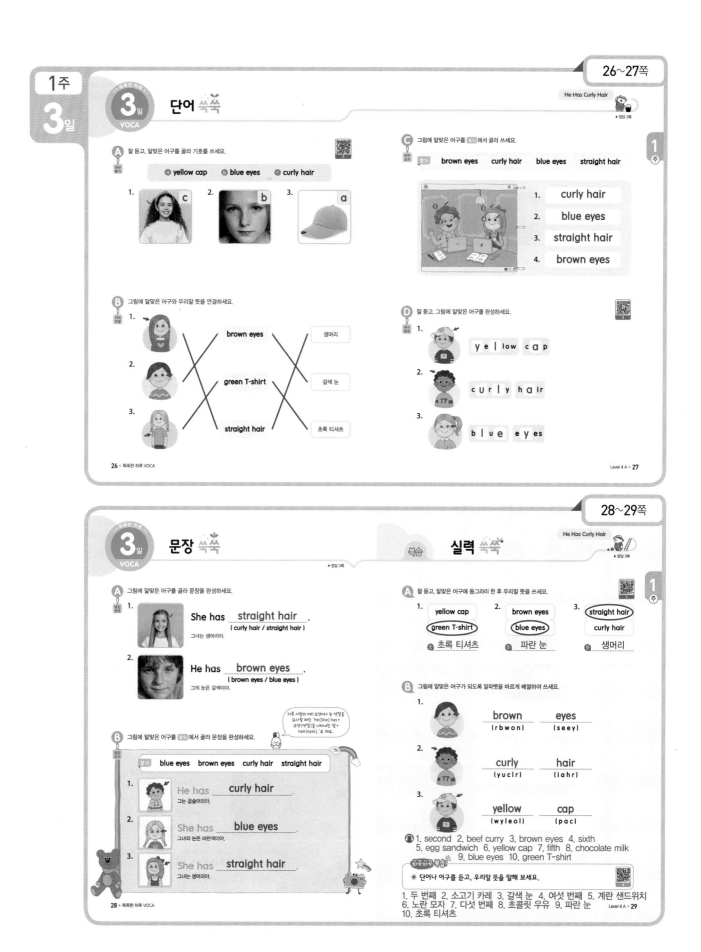

1주
4일

4일 VOCA

단어 쑥쑥

I'm Going to Feed the Dogs Tomorrow
▶정답 4쪽

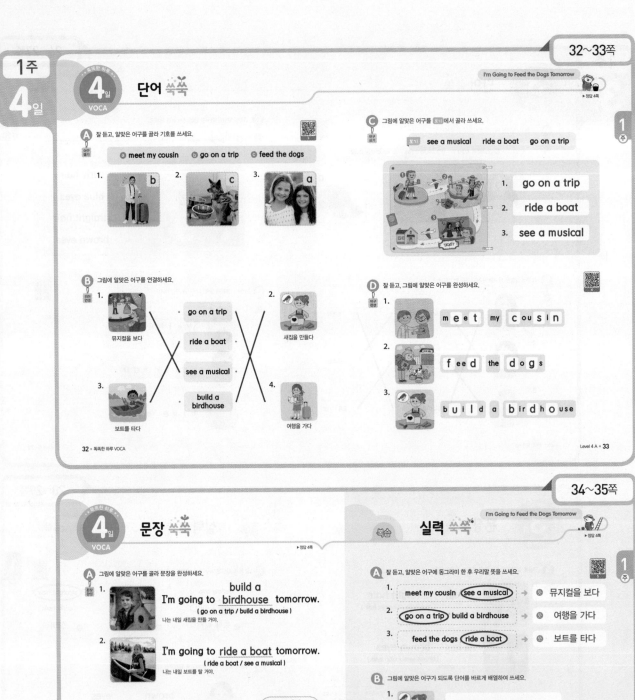

A 잘 듣고, 알맞은 어구를 골라 기호를 쓰세요.

ⓐ meet my cousin   ⓑ go on a trip   ⓒ feed the dogs

1. b   2. c   3. a

B 그림에 알맞은 어구를 연결하세요.

go on a trip
ride a boat
see a musical
build a birdhouse

1. 뮤지컬을 보다
2. 새집을 만들다
3. 보트를 타다
4. 여행을 가다

C 그림에 알맞은 어구를 보기에서 골라 쓰세요.

보기 see a musical   ride a boat   go on a trip

1. go on a trip
2. ride a boat
3. see a musical

D 잘 듣고, 그림에 알맞은 어구를 완성하세요.

1. m e e t m y c o u s i n
2. f eed the d o g s
3. b u i l d a b i r d h o u s e

32 · 똑똑한 하루 VOCA
Level 4 A · 33

4일 VOCA

문장 쑥쑥

복습 실력 쑥쑥

I'm Going to Feed the Dogs Tomorrow
▶정답 4쪽

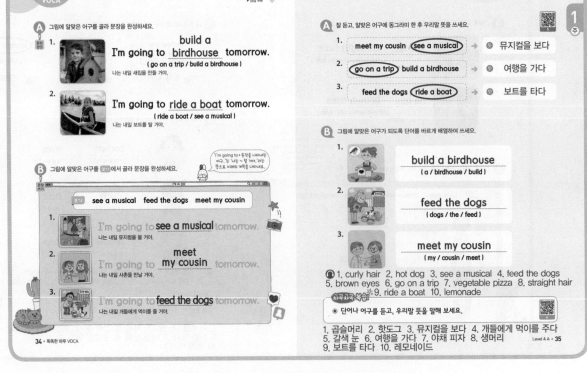

A 그림에 알맞은 어구를 골라 문장을 완성하세요.

1. I'm going to build a birdhouse tomorrow.
(go on a trip / build a birdhouse)
나는 내일 새집을 만들 거야.

2. I'm going to ride a boat tomorrow.
(ride a boat / see a musical)
나는 내일 보트를 탈 거야.

B 그림에 알맞은 어구를 보기에서 골라 문장을 완성하세요.

I'm going to+동작을 나타내는 어구.는 '나는 ~ 할 거야.'라는 뜻으로 미래의 계획을 나타내요.

보기 see a musical   feed the dogs   meet my cousin

1. I'm going to see a musical tomorrow.
나는 내일 뮤지컬을 볼 거야.

2. I'm going to meet my cousin tomorrow.
나는 내일 사촌을 만날 거야.

3. I'm going to feed the dogs tomorrow.
나는 내일 개들에게 먹이를 줄 거야.

A 잘 듣고, 알맞은 어구에 동그라미 한 후 우리말 뜻을 쓰세요.

1. meet my cousin (see a musical) → ⓐ 뮤지컬을 보다
2. (go on a trip) build a birdhouse → ⓐ 여행을 가다
3. feed the dogs (ride a boat) → ⓐ 보트를 타다

B 그림에 알맞은 어구가 되도록 단어를 바르게 배열하여 쓰세요.

1. build a birdhouse
(a / birdhouse / build)

2. feed the dogs
(dogs / the / feed)

3. meet my cousin
(my / cousin / meet)

1. curly hair 2. hot dog 3. see a musical 4. feed the dogs
5. brown eyes 6. go on a trip 7. vegetable pizza 8. straight hair
9. ride a boat 10. lemonade

한국어 복습
ⓐ 단어나 어구를 듣고, 우리말 뜻을 말해 보세요.

1. 곱슬머리 2. 핫도그 3. 뮤지컬을 보다 4. 개들에게 먹이를 주다
5. 갈색 눈 6. 여행을 가다 7. 야채 피자 8. 생머리
9. 보트를 타다 10. 레모네이드

34 · 똑똑한 하루 VOCA
Level 4 A · 35

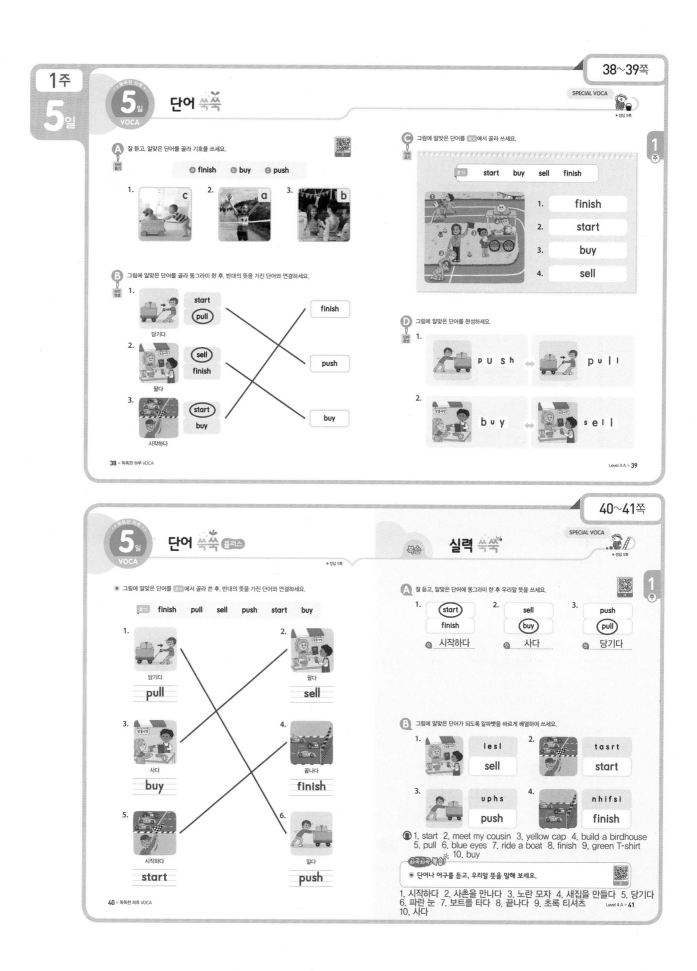

1주 특강

1주 특강 Brain Game Zone
창의·융합·코딩

배운 내용을 떠올리며 말판 놀이를 해 보세요.

Brain Game Zone 창의·융합·코딩

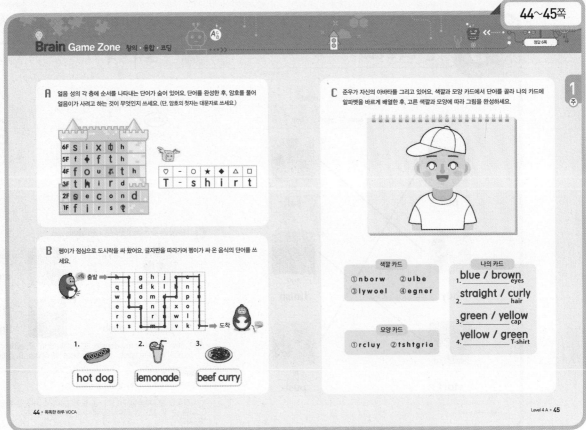

A 얼음 성의 각 층에 순서를 나타내는 단어가 숨어 있어요. 단어를 완성한 후, 암호를 풀어 얼음이가 사려고 하는 것이 무엇인지 쓰세요. (단, 암호의 첫자는 대문자로 쓰세요.)

B 펭이가 점심으로 도시락을 싸 왔어요. 글자판을 따라가며 펭이가 싸 온 음식의 단어를 쓰세요.

C 준우가 자신의 아바타를 그리고 있어요. 색깔과 모양 카드로 단어를 골라 나의 카드에 알파벳을 바르게 배열한 후, 고른 색깔과 모양에 따라 그림을 완성하세요.

1주 특강

Brain Game Zone 창의·융합·코딩

정답 7쪽

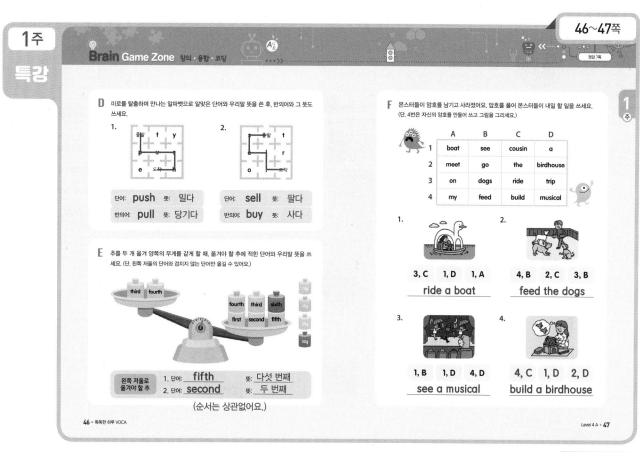

D 미로를 탈출하며 만나는 알파벳으로 알맞은 단어와 우리말 뜻을 쓴 후, 반의어와 그 뜻도 쓰세요.

1.
단어: **push** 뜻: 밀다
반의어: **pull** 뜻: 당기다

2.
단어: **sell** 뜻: 팔다
반의어: **buy** 뜻: 사다

E 추를 두 개 옮겨 양쪽의 무게를 같게 할 때, 옮겨야 할 추에 적힌 단어와 우리말 뜻을 쓰세요. (단, 왼쪽 저울의 단어와 겹치지 않는 단어만 옮길 수 있어요.)

왼쪽 저울로 옮겨야 할 추
1. 단어: **fifth** 뜻: 다섯 번째
2. 단어: **second** 뜻: 두 번째
(순서는 상관없어요.)

F 몬스터들이 암호를 남기고 사라졌어요. 암호를 풀어 몬스터들이 내일 할 일을 쓰세요. (단, 4번은 자신의 암호를 만들어 쓰고 그림을 그리세요.)

	A	B	C	D
1	boat	see	cousin	a
2	meet	go	the	birdhouse
3	on	dogs	ride	trip
4	my	feed	build	musical

1.
3, C 1, D 1, A
ride a boat

2.
4, B 2, C 3, B
feed the dogs

3.
1, B 1, D 4, D
see a musical

4.
4, C 1, D 2, D
build a birdhouse

46 · 똑똑한 하루 VOCA

Level 4 A · 47

1주 누구나 100점 TEST

맞은 개수 / 8개
▶ 정답 7쪽

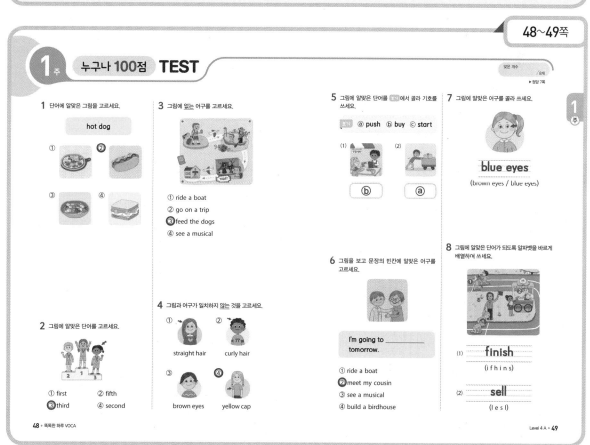

1 단어에 알맞은 그림을 고르세요.

hot dog

① ② ③ ④

2 그림에 알맞은 단어를 고르세요.

① first ② fifth ③ third ④ second

3 그림에 없는 어구를 고르세요.

① ride a boat
② go on a trip
③ feed the dogs
④ see a musical

4 그림과 어구가 일치하지 않는 것을 고르세요.

① straight hair ② curly hair
③ brown eyes ④ yellow cap

5 그림에 알맞은 단어를 보기 에서 골라 기호를 쓰세요.

보기 ⓐ push ⓑ buy ⓒ start

(1) ⓑ (2) ⓐ

6 그림을 보고 문장의 빈칸에 알맞은 어구를 고르세요.

I'm going to _____ tomorrow.

① ride a boat
② meet my cousin
③ see a musical
④ build a birdhouse

7 그림에 알맞은 어구를 골라 쓰세요.

blue eyes
(brown eyes / blue eyes)

8 그림에 알맞은 단어가 되도록 알파벳을 바르게 배열하여 쓰세요.

(1) **finish**
(i f h i n s)

(2) **sell**
(l e s l)

48 · 똑똑한 하루 VOCA

Level 4 A · 49

정답 · **7**

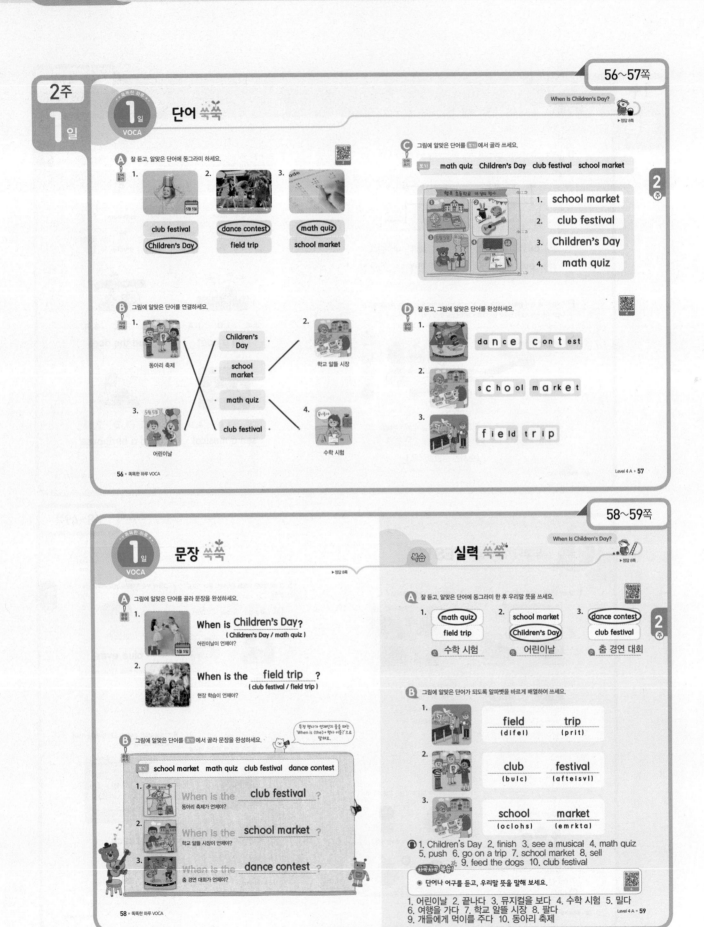

정답

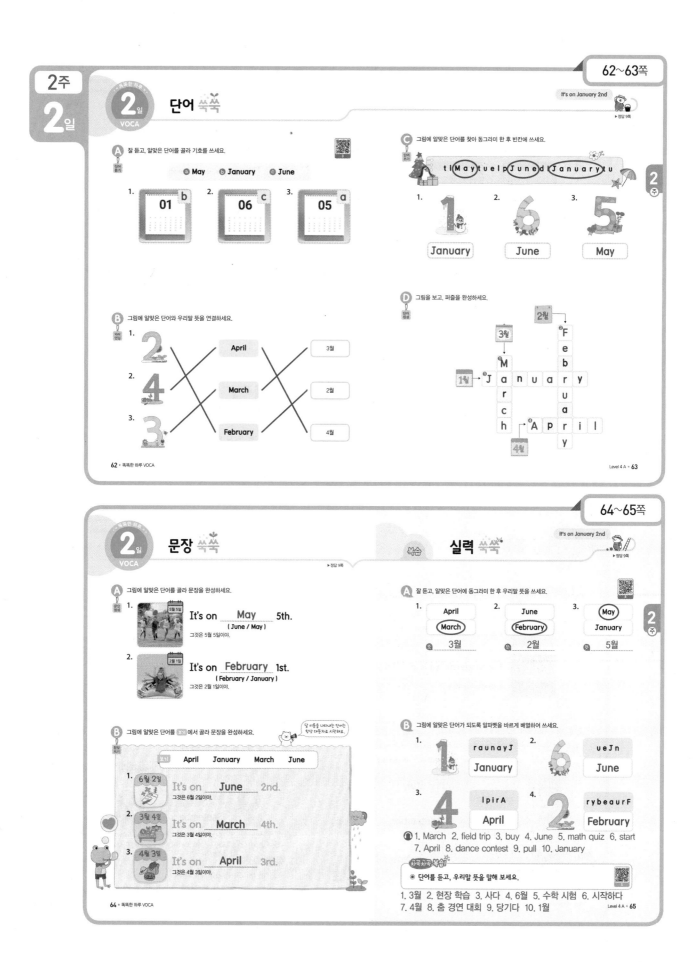

2주 2일

2일 VOCA 단어 쑥쑥

It's on January 2nd

▶정답 9쪽

Ⓐ 잘 듣고, 알맞은 단어를 골라 기호를 쓰세요.

ⓐ May   ⓑ January   ⓒ June

1. 01 b   2. 06 c   3. 05 a

Ⓒ 그림에 알맞은 단어를 찾아 동그라미 한 후 빈칸에 쓰세요.

tlMaytuelpJunediJanuarytu

1. January   2. June   3. May

Ⓑ 그림에 알맞은 단어와 우리말 뜻을 연결하세요.

1. 2 — April — 3월
2. 4 — March — 2월
3. 3 — February — 4월

Ⓓ 그림을 보고, 퍼즐을 완성하세요.

2월 F e b r u a r y
3월 M a r c h
1월 J a n u a r y
April

62 • 똑똑한 하루 VOCA

Level 4 A • 63

2일 VOCA 문장 쑥쑥

복습 실력 쑥쑥

It's on January 2nd

▶정답 9쪽

Ⓐ 그림에 알맞은 단어를 골라 문장을 완성하세요.

1. It's on __May__ 5th.
(June / May)
그것은 5월 5일이야.

2. It's on __February__ 1st.
(February / January)
그것은 2월 1일이야.

Ⓑ 그림에 알맞은 단어를 보기에서 골라 문장을 완성하세요.

달 이름을 나타내는 단어는 항상 대문자로 시작해요.

보기 April   January   March   June

1. 6월 2일 It's on __June__ 2nd.
그것은 6월 2일이야.

2. 3월 4일 It's on __March__ 4th.
그것은 3월 4일이야.

3. 4월 3일 It's on __April__ 3rd.
그것은 4월 3일이야.

Ⓐ 잘 듣고, 알맞은 단어에 동그라미 한 후 우리말 뜻을 쓰세요.

1. April March 3월
2. June February 2월
3. May January 5월

Ⓑ 그림에 알맞은 단어가 되도록 알파벳을 바르게 배열하여 쓰세요.

1. raunayJ January
2. ueJn June
3. lpirA April
4. rybeaurF February

1. March 2. field trip 3. buy 4. June 5. math quiz 6. start
7. April 8. dance contest 9. pull 10. January

하루차곡 복습

◈ 단어를 듣고, 우리말 뜻을 말해 보세요.

1. 3월 2. 현장 학습 3. 사다 4. 6월 5. 수학 시험 6. 시작하다
7. 4월 8. 춤 경연 대회 9. 당기다 10. 1월

64 • 똑똑한 하루 VOCA

Level 4 A • 65

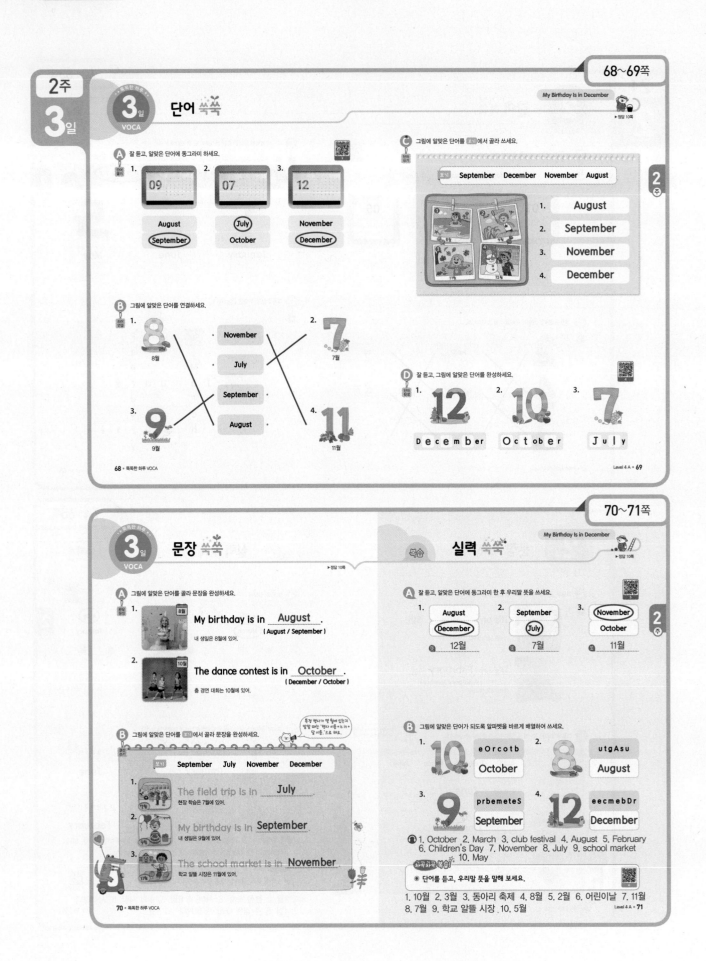

2주

4일

4일 VOCA 단어 쑥쑥

I Grow Vegetables in My Free Time

▶정답 11쪽

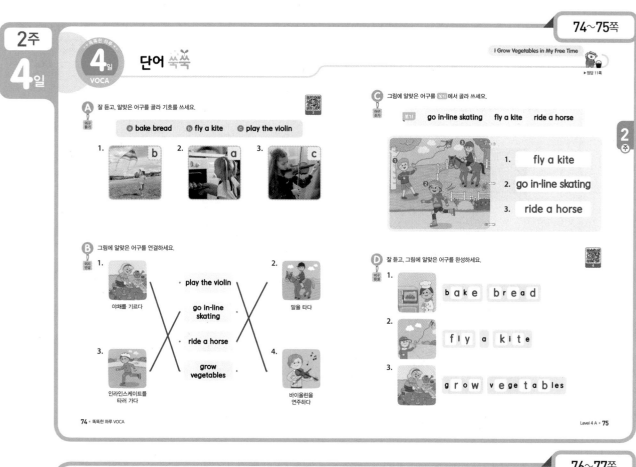

A 잘 듣고, 알맞은 어구를 골라 기호를 쓰세요.

ⓐ bake bread ⓑ fly a kite ⓒ play the violin

1. b 2. a 3. c

B 그림에 알맞은 어구를 연결하세요.

1. 야채를 기르다 · play the violin
2. 말을 타다 · go in-line skating
3. 인라인스케이트를 타러 가다 · ride a horse
4. 바이올린을 연주하다 · grow vegetables

C 그림에 알맞은 어구를 보기에서 골라 쓰세요.

보기 go in-line skating fly a kite ride a horse

1. fly a kite
2. go in-line skating
3. ride a horse

D 잘 듣고, 그림에 알맞은 어구를 완성하세요.

1. b a k e b r e a d
2. f l y a k i t e
3. g r o w v e g e t a b l e s

74 · 똑똑한 하루 VOCA

Level 4 A · 75

4일 VOCA 문장 쑥쑥

복습 실력 쑥쑥

I Grow Vegetables in My Free Time

▶정답 11쪽

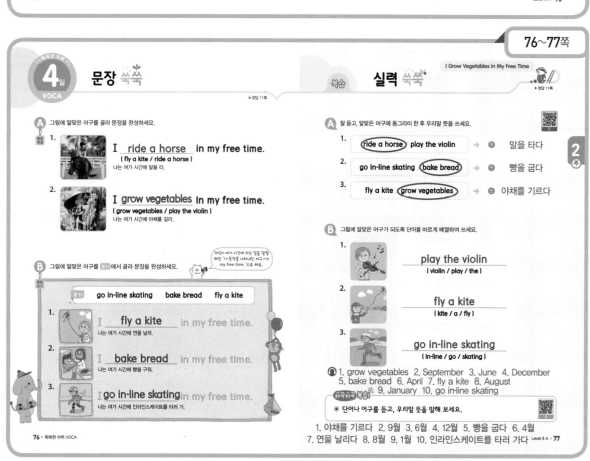

A 그림에 알맞은 어구를 골라 문장을 완성하세요.

1. I ride a horse in my free time.
(fly a kite / ride a horse)
나는 여가 시간에 말을 타.

2. I grow vegetables in my free time.
(grow vegetables / play the violin)
나는 여가 시간에 야채를 길러.

B 그림에 알맞은 어구를 보기에서 골라 문장을 완성하세요.

'자신이 여가 시간에 하는 일을 말할 때는 'I+동작을 나타내는 어구+ in my free time.'으로 해요.

보기 go in-line skating bake bread fly a kite

1. I fly a kite in my free time.
나는 여가 시간에 연을 날려.

2. I bake bread in my free time.
나는 여가 시간에 빵을 구워.

3. I go in-line skating in my free time.
나는 여가 시간에 인라인스케이트를 타러 가.

A 잘 듣고, 알맞은 어구에 동그라미 한 후 우리말 뜻을 쓰세요.

1. (ride a horse) play the violin → ⓐ 말을 타다
2. go in-line skating (bake bread) → ⓑ 빵을 굽다
3. fly a kite (grow vegetables) → ⓒ 야채를 기르다

B 그림에 알맞은 어구가 되도록 단어를 바르게 배열하여 쓰세요.

1. play the violin
(violin / play / the)

2. fly a kite
(kite / a / fly)

3. go in-line skating
(in-line / go / skating)

1. grow vegetables 2. September 3. June 4. December
5. bake bread 6. April 7. fly a kite 8. August
9. January 10. go in-line skating

● 단어나 어구를 듣고, 우리말 뜻을 말해 보세요.

1. 야채를 기르다 2. 9월 3. 6월 4. 12월 5. 빵을 굽다 6. 4월
7. 연을 날리다 8. 8월 9. 1월 10. 인라인스케이트를 타러 가다

76 · 똑똑한 하루 VOCA

Level 4 A · 77

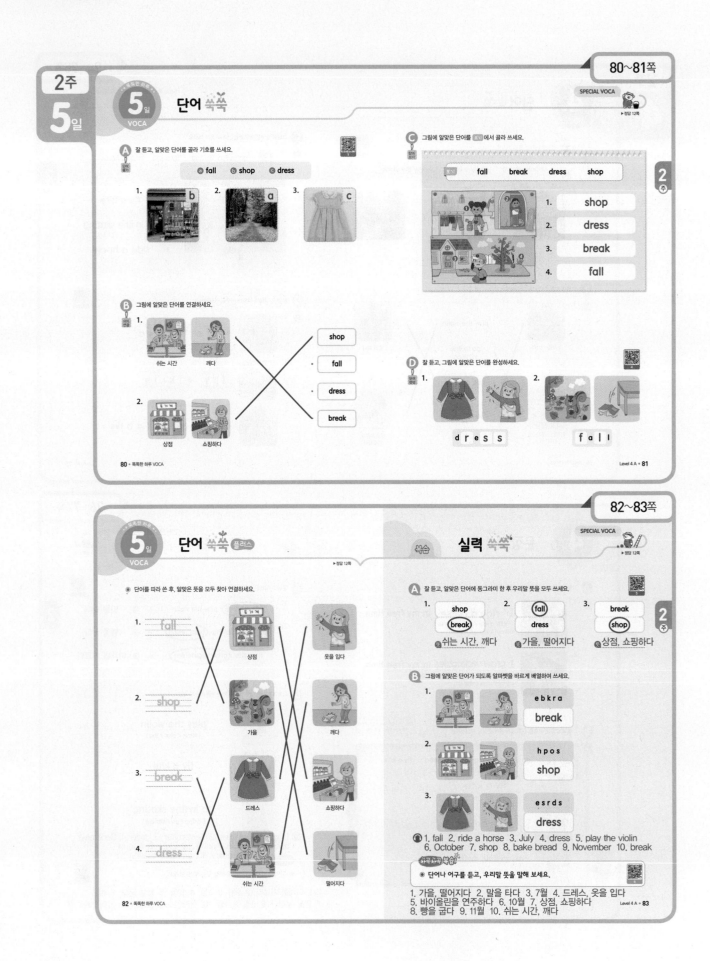

2주 5일

5일 단어 쑥쑥

SPECIAL VOCA

▶정답 12쪽

A 잘 듣고, 알맞은 단어를 골라 기호를 쓰세요.

ⓐ fall ⓑ shop ⓒ dress

1. b 2. a 3. c

B 그림에 알맞은 단어를 연결하세요.

1. 쉬는 시간 / 깨다
2. 상점 / 쇼핑하다

shop
fall
dress
break

C 그림에 알맞은 단어를 에서 골라 쓰세요.

fall   break   dress   shop

1. shop
2. dress
3. break
4. fall

D 잘 듣고, 그림에 알맞은 단어를 완성하세요.

1. d r e s s
2. f a l l

80 • 똑똑한 하루 VOCA
Level 4 A • 81

5일 단어 쑥쑥 플러스

VOCA

▶정답 12쪽

◉ 단어를 따라 쓴 후, 알맞은 뜻을 모두 찾아 연결하세요.

1. fall
2. shop
3. break
4. dress

상점 / 옷을 입다
가을 / 깨다
드레스 / 쇼핑하다
쉬는 시간 / 떨어지다

실력 쑥쑥

복습

SPECIAL VOCA

▶정답 12쪽

A 잘 듣고, 알맞은 단어에 동그라미 한 후 우리말 뜻을 모두 쓰세요.

1. shop / break
2. fall / dress
3. break / shop

쉬는 시간, 깨다
가을, 떨어지다
상점, 쇼핑하다

B 그림에 알맞은 단어가 되도록 알파벳을 바르게 배열하여 쓰세요.

1. e b k r a → break
2. h p o s → shop
3. e s r d s → dress

1. fall 2. ride a horse 3. July 4. dress 5. play the violin
6. October 7. shop 8. bake bread 9. November 10. break

최종정리 복습

◉ 단어나 어구를 듣고, 우리말 뜻을 말해 보세요.

1. 가을, 떨어지다 2. 말을 타다 3. 7월 4. 드레스, 옷을 입다
5. 바이올린을 연주하다 6. 10월 7. 상점, 쇼핑하다
8. 빵을 굽다 9. 11월 10. 쉬는 시간, 깨다

82 • 똑똑한 하루 VOCA
Level 4 A • 83

2주 특강

2주 특강 Brain Game Zone 창의·융합·코딩

정답 13쪽

🔲 배운 내용을 떠올리며 말판 놀이를 해 보세요.

Brain Game Zone 창의·융합·코딩

정답 13쪽

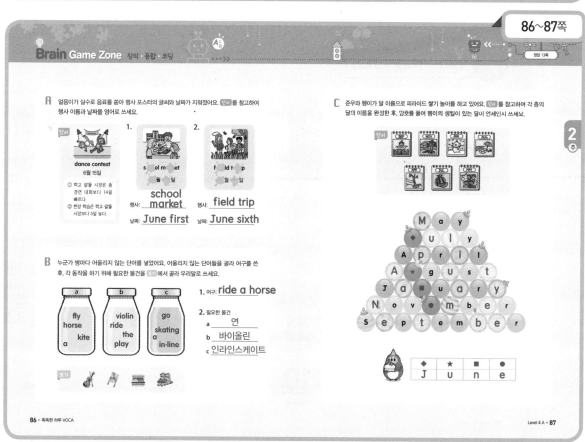

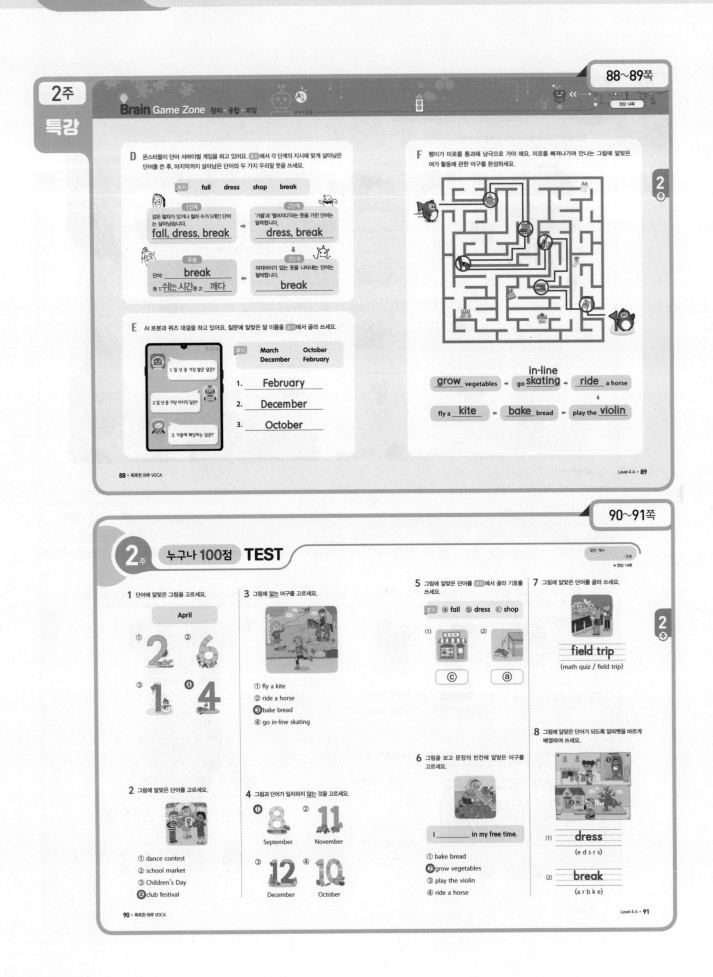

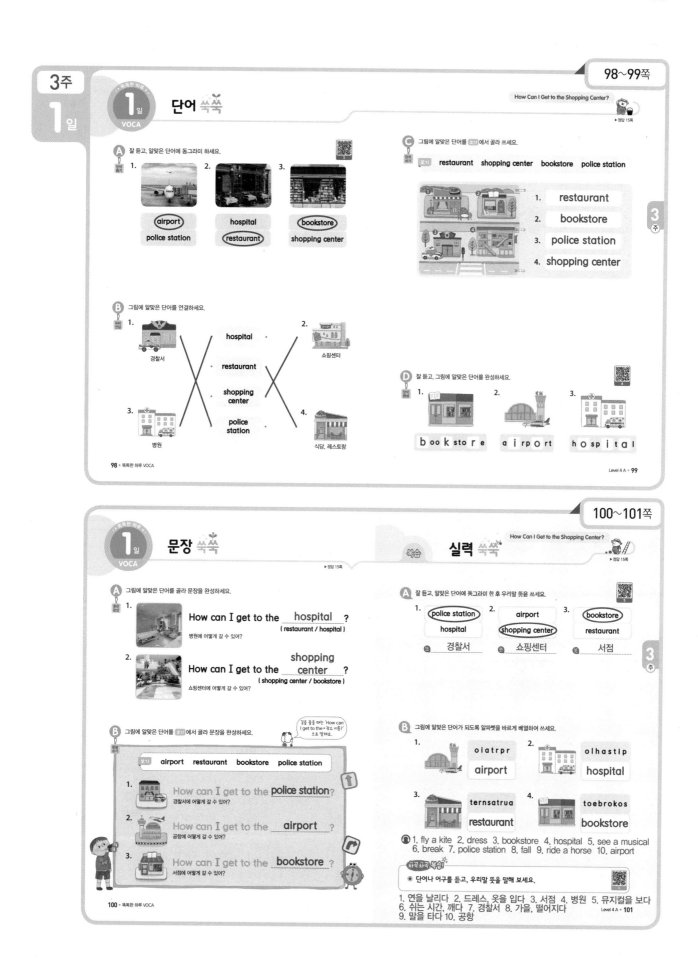

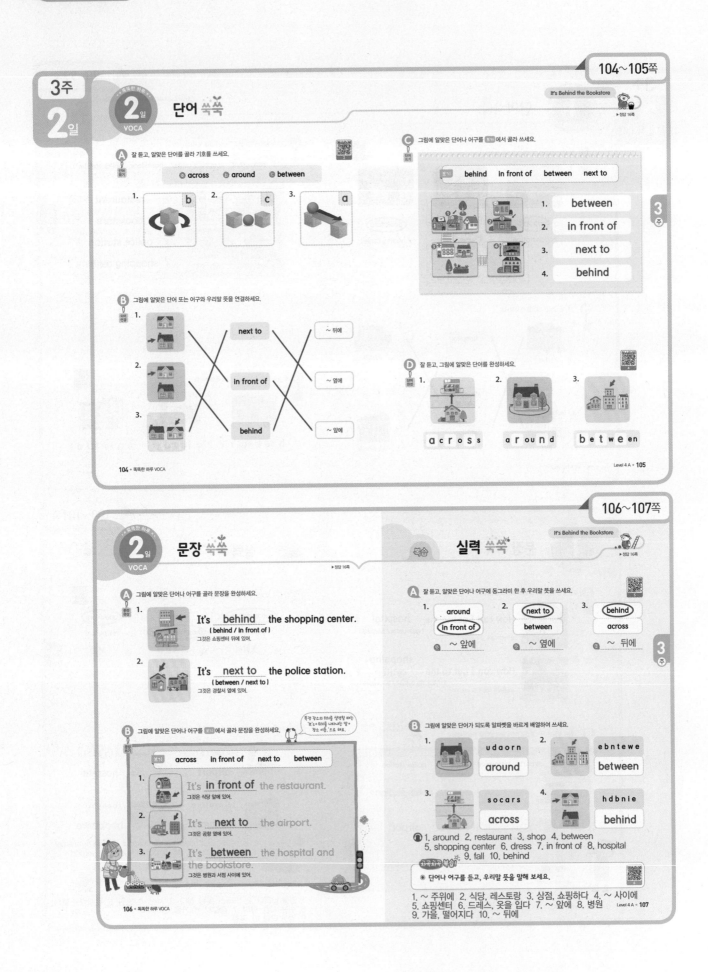

3주 2일

2일 VOCA 단어 쑥쑥

It's Behind the Bookstore
▶정답 16쪽

A 잘 듣고, 알맞은 단어를 골라 기호를 쓰세요.

ⓐ across ⓑ around ⓒ between

1. b
2. c
3. a

B 그림에 알맞은 단어 또는 어구와 우리말 뜻을 연결하세요.

1. — next to — ~ 뒤에
2. — in front of — ~ 옆에
3. — behind — ~ 앞에

C 그림에 알맞은 단어나 어구를 보기에서 골라 쓰세요.

보기 behind in front of between next to

1. between
2. in front of
3. next to
4. behind

D 잘 듣고, 그림에 알맞은 단어를 완성하세요.

1. across
2. around
3. between

2일 VOCA 문장 쑥쑥

▶정답 16쪽

A 그림에 알맞은 단어나 어구를 골라 문장을 완성하세요.

1. It's __behind__ the shopping center.
   (behind / in front of)
   그것은 쇼핑센터 뒤에 있어.

2. It's __next to__ the police station.
   (between / next to)
   그것은 경찰서 옆에 있어.

B 그림에 알맞은 단어나 어구를 보기에서 골라 문장을 완성하세요.

특정 장소의 위치를 설명할 때는 It's + 위치를 나타내는 말 + 장소 이름. 으로 해요.

보기 across in front of next to between

1. It's __in front of__ the restaurant.
   그것은 식당 앞에 있어.

2. It's __next to__ the airport.
   그것은 공항 옆에 있어.

3. It's __between__ the hospital and the bookstore.
   그것은 병원과 서점 사이에 있어.

복습 실력 쑥쑥

It's Behind the Bookstore
▶정답 16쪽

A 잘 듣고, 알맞은 단어나 어구에 동그라미 한 후 우리말 뜻을 쓰세요.

1. around / (in front of) ⓐ ~ 앞에
2. (next to) / between ⓑ ~ 옆에
3. (behind) / across ⓒ ~ 뒤에

B 그림에 알맞은 단어가 되도록 알파벳을 바르게 배열하여 쓰세요.

1. udaorn → around
2. ebntewe → between
3. socars → across
4. hdbnie → behind

ⓐ 1. around 2. restaurant 3. shop 4. between
5. shopping center 6. dress 7. in front of 8. hospital
9. fall 10. behind

자신있게 복습!
❋ 단어나 어구를 듣고, 우리말 뜻을 말해 보세요.
1. ~ 주위에 2. 식당, 레스토랑 3. 상점, 쇼핑하다 4. ~ 사이에
5. 쇼핑센터 6. 드레스, 옷을 입다 7. ~ 앞에 8. 병원
9. 가을, 떨어지다 10. ~ 뒤에

Level 4 A • 107

3주 3일

110~111쪽

3일 VOCA 단어 쑥쑥

I Want to Be a Comedian
▶정답 17쪽

A 잘 듣고, 알맞은 단어에 동그라미 하세요.

1. photographer / (nurse)
2. (zookeeper) / car engineer
3. comedian / (traveler)

C 그림에 알맞은 단어를 보기에서 골라 쓰세요.

보기 zookeeper traveler car engineer photographer

1. traveler
2. car engineer
3. zookeeper
4. photographer

B 그림에 알맞은 단어를 연결하세요.

1. 코미디언 — comedian
2. 자동차 기술자 — car engineer
3. 사진작가 — photographer
4. 사육사 — zookeeper

(연결: zookeeper, photographer, comedian, car engineer)

D 잘 듣고, 그림에 알맞은 단어를 완성하세요.

1. n u r s e
2. t r a v e l e r
3. c o m e d i a n

110 · 똑똑한 하루 VOCA

Level 4 A · 111

112~113쪽

3일 VOCA 문장 쑥쑥

▶정답 17쪽

복습 실력 쑥쑥

I Want to Be a Comedian
▶정답 17쪽

A 그림에 알맞은 단어를 골라 문장을 완성하세요.

1. I want to be a **photographer**.
   (comedian / photographer)
   나는 사진작가가 되고 싶어.

2. I want to be a **car engineer**.
   (car engineer / zookeeper)
   나는 자동차 기술자가 되고 싶어.

B 그림에 알맞은 단어를 보기에서 골라 문장을 완성하세요.

> 직업이 되고 싶은 것을 말할 때는
> 'I want to be a(an) + 직업 이름.'
> 으로 하요.

보기 zookeeper traveler nurse comedian

1. I want to be a **nurse**.
   나는 간호사가 되고 싶어.

2. I want to be a **traveler**.
   나는 여행가가 되고 싶어.

3. I want to be a **zookeeper**.
   나는 사육사가 되고 싶어.

A 잘 듣고, 알맞은 단어에 동그라미 한 후 우리말 뜻을 쓰세요.

1. traveler / (car engineer)
   뜻 자동차 기술자
2. (zookeeper) / comedian
   뜻 사육사
3. nurse / (photographer)
   뜻 사진작가

B 그림에 알맞은 단어가 되도록 알파벳을 바르게 배열하여 쓰세요.

1. dcnoaelm → comedian
2. ertealvr → traveler
3. uersn → nurse
4. ozoeperke → zookeeper

정답 1. traveler 2. across 3. police station 4. nurse 5. around
6. bookstore 7. photographer 8. next to 9. airport
10. car engineer

차곡차곡 복습

◎ 단어나 어구를 듣고, 우리말 뜻을 말해 보세요.

1. 여행가 2. 가로질러 3. 경찰서 4. 간호사 5. ~ 주위에 6. 서점
7. 사진작가 8. ~ 옆에 9. 공항 10. 자동차 기술자

112 · 똑똑한 하루 VOCA

Level 4 A · 113

똑똑한 하루 VOCA

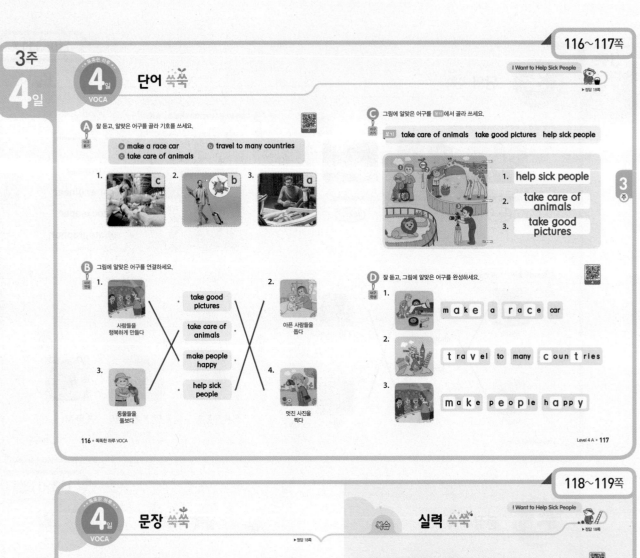

4일 단어 쑥쑥

I Want to Help Sick People

▶정답 18쪽

A 잘 듣고, 알맞은 어구를 골라 기호를 쓰세요.
- ⓐ make a race car
- ⓑ travel to many countries
- ⓒ take care of animals

1. c   2. b   3. a

B 그림에 알맞은 어구를 연결하세요.
1. 사람들을 행복하게 만들다
2. 아픈 사람들을 돕다
3. 동물들을 돌보다
4. 멋진 사진을 찍다

- take good pictures
- take care of animals
- make people happy
- help sick people

C 그림에 알맞은 어구를 보기에서 골라 쓰세요.

보기 take care of animals   take good pictures   help sick people

1. help sick people
2. take care of animals
3. take good pictures

D 잘 듣고, 그림에 알맞은 어구를 완성하세요.
1. m a k e   a   r a c e car
2. t r a v e l   to   many   c o u n t r i e s
3. m a k e   p e o p l e   h a p p y

116 • 똑똑한 하루 VOCA   Level 4 A • 117

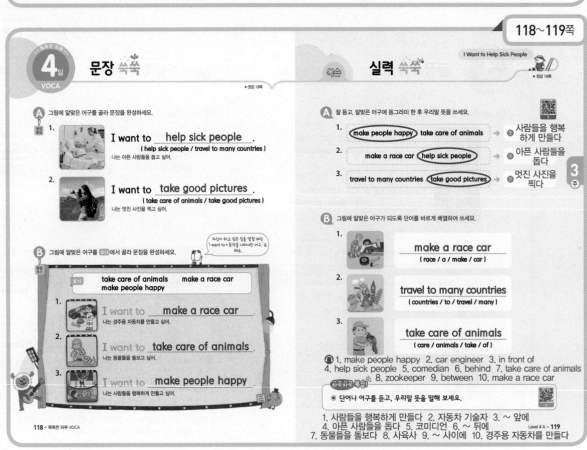

4일 문장 쑥쑥

▶정답 18쪽

A 그림에 알맞은 어구를 골라 문장을 완성하세요.
1. I want to help sick people .
(help sick people / travel to many countries)
나는 아픈 사람들을 돕고 싶어.

2. I want to take good pictures .
(take care of animals / take good pictures)
나는 멋진 사진을 찍고 싶어.

B 그림에 알맞은 어구를 보기에서 골라 문장을 완성하세요.

자신이 하고 싶은 일을 말할 때는 'I want to+동작을 나타내는 어구.'로 해요.

보기 take care of animals   make a race car   make people happy

1. I want to make a race car .
나는 경주용 자동차를 만들고 싶어.

2. I want to take care of animals .
나는 동물을 돌보고 싶어.

3. I want to make people happy .
나는 사람들을 행복하게 만들고 싶어.

118 • 똑똑한 하루 VOCA

복습 실력 쑥쑥

I Want to Help Sick People

▶정답 18쪽

A 잘 듣고, 알맞은 어구에 동그라미 한 후 우리말 뜻을 쓰세요.
1. (make people happy) take care of animals → 사람들을 행복하게 만들다
2. make a race car (help sick people) → 아픈 사람들을 돕다
3. travel to many countries (take good pictures) → 멋진 사진을 찍다

B 그림에 알맞은 어구가 되도록 단어를 바르게 배열하여 쓰세요.
1. make a race car
(race / a / make / car)

2. travel to many countries
(countries / to / travel / many)

3. take care of animals
(care / animals / take / of)

1. make people happy 2. car engineer 3. in front of
4. help sick people 5. comedian 6. behind 7. take care of animals
8. zookeeper 9. between 10. make a race car

하루하루 복습 단어나 어구를 듣고, 우리말 뜻을 말해 보세요.

1. 사람들을 행복하게 만들다 2. 자동차 기술자 3. ~ 앞에
4. 아픈 사람들을 돕다 5. 코미디언 6. ~ 뒤에
7. 동물들을 돌보다 8. 사육사 9. ~ 사이에 10. 경주용 자동차를 만들다

Level 4 A • 119

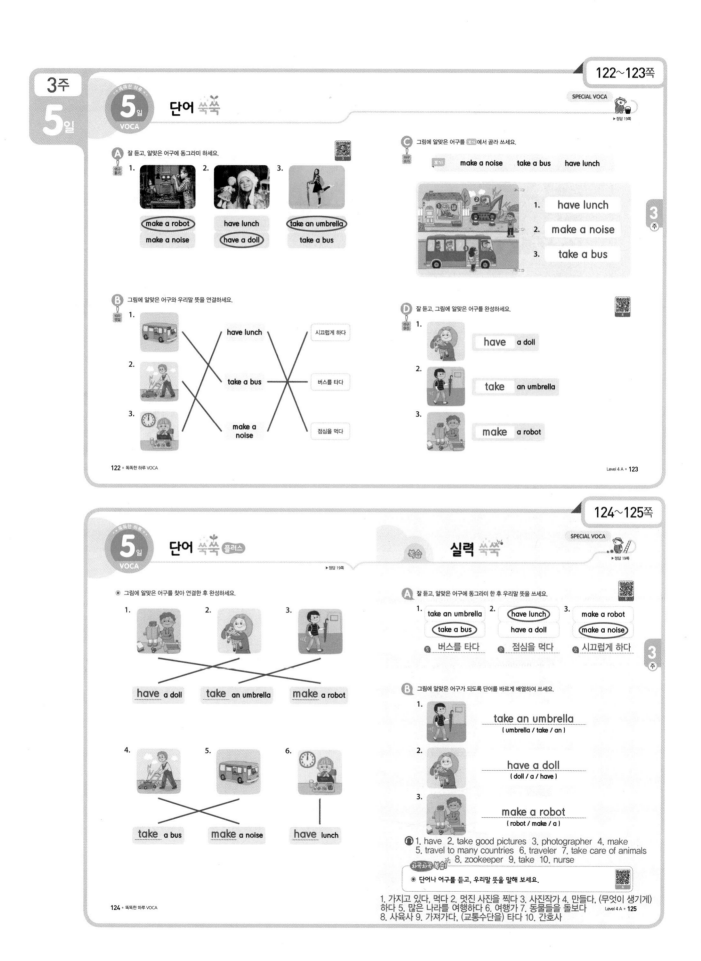

3주 5일

5일 VOCA 단어 쑥쑥

SPECIAL VOCA
▶정답 19쪽

A 잘 듣고, 알맞은 어구에 동그라미 하세요.

1. make a robot / make a noise
2. have lunch / have a doll
3. take an umbrella / take a bus

B 그림에 알맞은 어구와 우리말 뜻을 연결하세요.

1. have lunch — 점심을 먹다
2. take a bus — 버스를 타다
3. make a noise — 시끄럽게 하다

C 그림에 알맞은 어구를 보기 에서 골라 쓰세요.

보기 make a noise   take a bus   have lunch

1. have lunch
2. make a noise
3. take a bus

D 잘 듣고, 그림에 알맞은 어구를 완성하세요.

1. have a doll
2. take an umbrella
3. make a robot

122 • 똑똑한 하루 VOCA

Level 4 A • 123

5일 VOCA 단어 쑥쑥 플러스

▶정답 19쪽

복습 실력 쑥쑥

SPECIAL VOCA
▶정답 19쪽

◎ 그림에 알맞은 어구를 찾아 연결한 후 완성하세요.

1. have a doll
2. take an umbrella
3. make a robot
4. take a bus
5. make a noise
6. have lunch

A 잘 듣고, 알맞은 어구에 동그라미 한 후 우리말 뜻을 쓰세요.

1. take an umbrella / take a bus — 버스를 타다
2. have lunch / have a doll — 점심을 먹다
3. make a robot / make a noise — 시끄럽게 하다

B 그림에 알맞은 어구가 되도록 단어를 바르게 배열하여 쓰세요.

1. take an umbrella (umbrella / take / an)
2. have a doll (doll / a / have)
3. make a robot (robot / make / a)

◎ 1. have 2. take good pictures 3. photographer 4. make
5. travel to many countries 6. traveler 7. take care of animals
8. zookeeper 9. take 10. nurse

차곡차곡 복습

◎ 단어나 어구를 듣고, 우리말 뜻을 말해 보세요.

1. 가지고 있다, 먹다 2. 멋진 사진을 찍다 3. 사진작가 4. 만들다, (무엇이 생기게)
하다 5. 많은 나라를 여행하다 6. 여행가 7. 동물들을 돌보다
8. 사육사 9. 가져가다, (교통수단을) 타다 10. 간호사

124 • 똑똑한 하루 VOCA

Level 4 A • 125

3주
특강

3주 특강 Brain Game Zone 창의·융합·코딩

Brain Game Zone 창의·융합·코딩

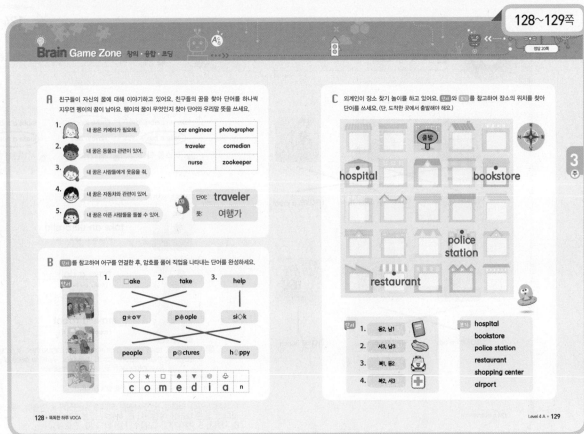

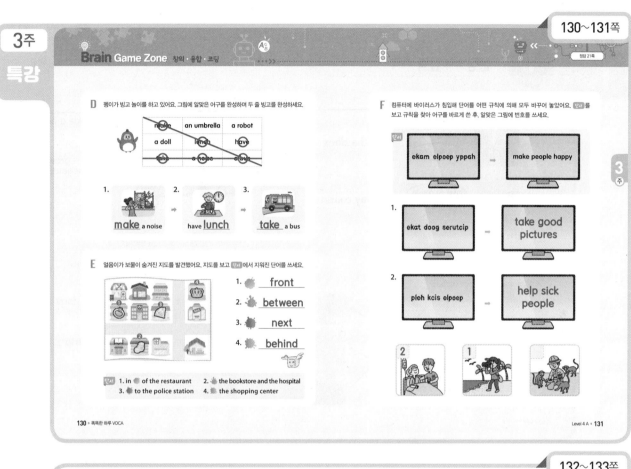

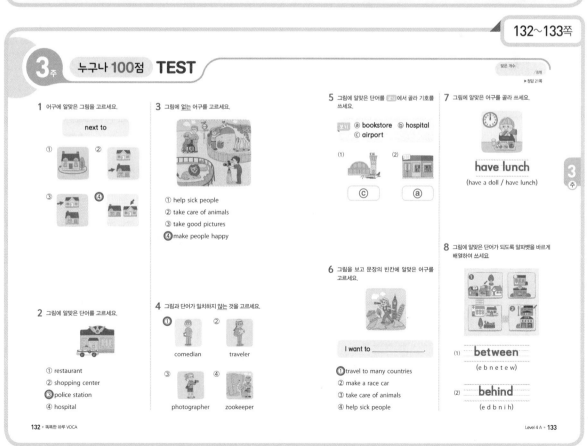

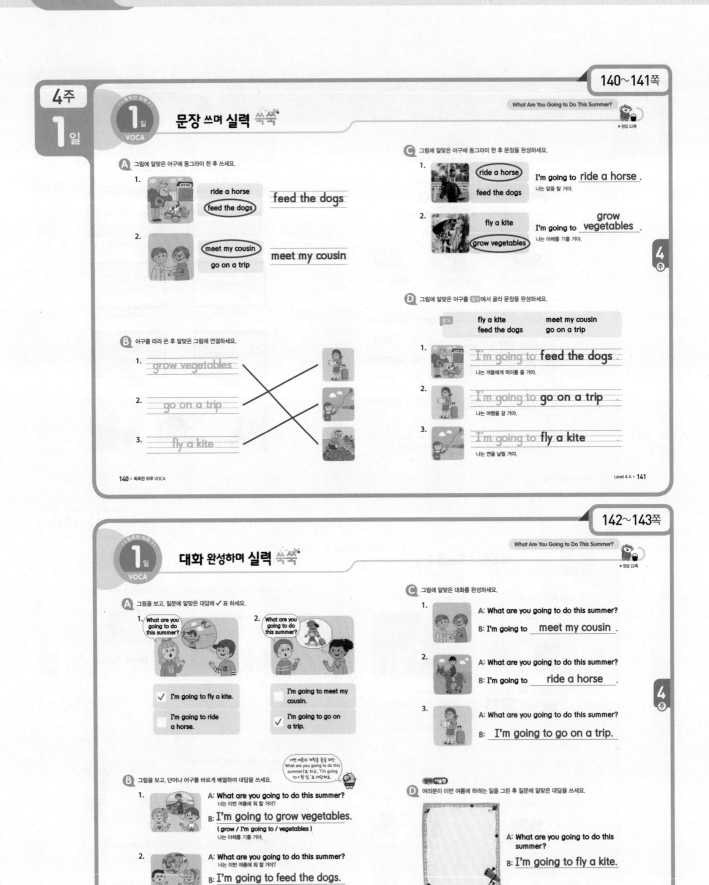

4주 2일

2일 VOCA 문장 쓰며 실력 쑥쑥

When Is the Field Trip?
▶정답 23쪽

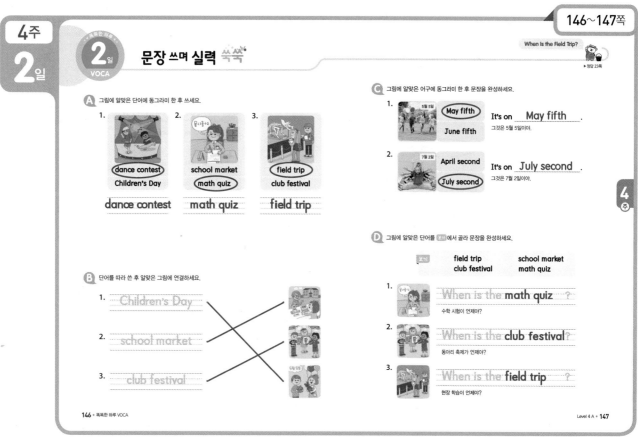

A 그림에 알맞은 단어에 동그라미 한 후 쓰세요.

1. dance contest / Children's Day → dance contest
2. school market / math quiz → math quiz
3. field trip / club festival → field trip

B 단어를 따라 쓴 후 알맞은 그림에 연결하세요.

1. Children's Day
2. school market
3. club festival

C 그림에 알맞은 어구에 동그라미 한 후 문장을 완성하세요.

1. May fifth / June fifth — It's on __May fifth__.
   그것은 5월 5일이야.
2. April second / July second — It's on __July second__.
   그것은 7월 2일이야.

D 그림에 알맞은 단어를 보기에서 골라 문장을 완성하세요.

보기: field trip school market club festival math quiz

1. When is the **math quiz**?
   수학 시험이 언제야?
2. When is the **club festival**?
   동아리 축제가 언제야?
3. When is the **field trip**?
   현장 학습이 언제야?

146 • 똑똑한 하루 VOCA

Level 4 A • 147

2일 VOCA 대화 완성하며 실력 쑥쑥

When Is the Field Trip?
▶정답 23쪽

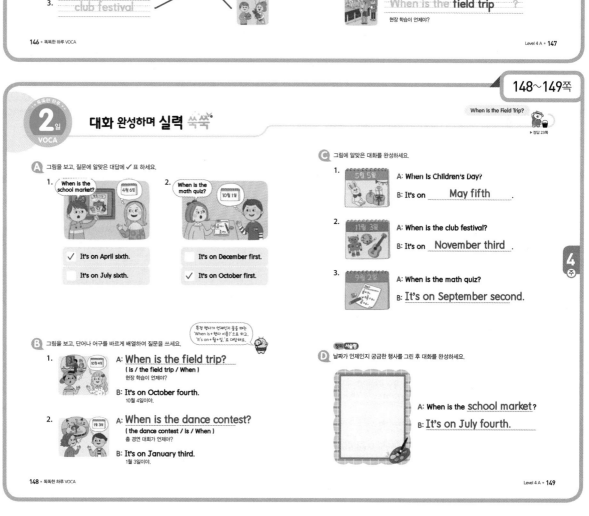

A 그림을 보고, 질문에 알맞은 대답에 ✓ 표 하세요.

1. When is the school market?
   ✓ It's on April sixth.
   ☐ It's on July sixth.
2. When is the math quiz?
   ☐ It's on December first.
   ✓ It's on October first.

B 그림을 보고, 단어나 어구를 바르게 배열하여 질문을 쓰세요.

특정 행사가 언제인지 물음을 때는 'When is + 행사 이름?'으로 하고, 'It's on + 월 + 일.'로 대답해요.

1. **When is the field trip?**
   (is / the field trip / When)
   현장 학습이 언제야?
   B: It's on October fourth.
   10월 4일이야.
2. **When is the dance contest?**
   (the dance contest / is / When)
   춤 경연 대회가 언제야?
   B: It's on January third.
   1월 3일이야.

C 그림에 알맞은 대화를 완성하세요.

1. A: When is Children's Day?
   B: It's on __May fifth__.
2. A: When is the club festival?
   B: It's on __November third__.
3. A: When is the math quiz?
   B: It's on September second.

창의 쑥쑥

D 날짜가 언제인지 궁금한 행사를 그린 후 대화를 완성하세요.

A: When is the **school market**?
B: It's on July fourth.

148 • 똑똑한 하루 VOCA

Level 4 A • 149

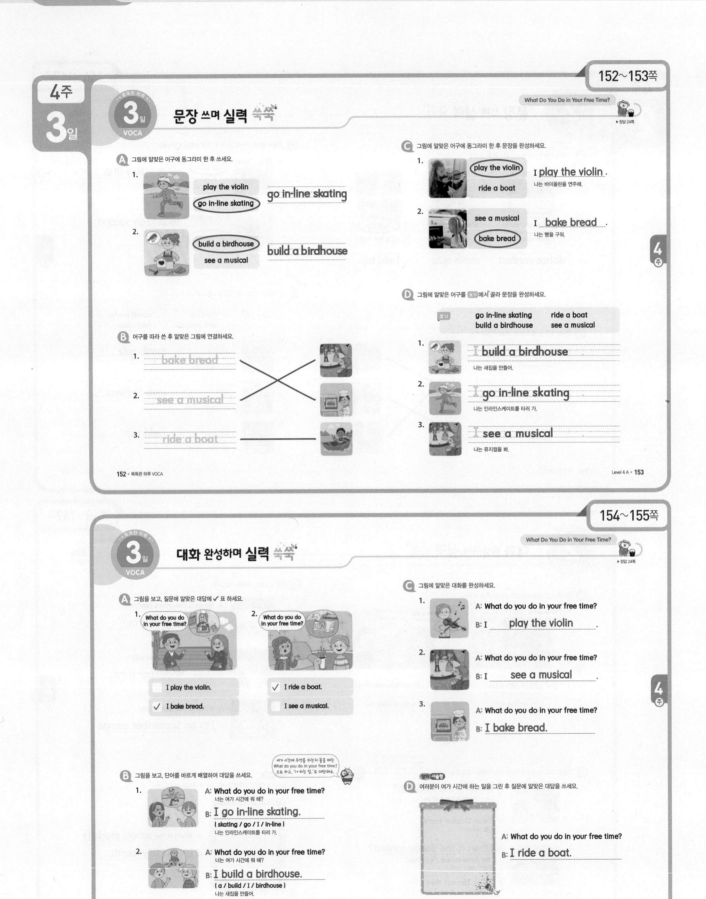

4주
3일

3일 VOCA 문장 쓰며 실력 쑥쑥

What Do You Do in Your Free Time?
▶ 정답 24쪽

A 그림에 알맞은 어구에 동그라미 한 후 쓰세요.

1. play the violin / (go in-line skating)   go in-line skating

2. (build a birdhouse) / see a musical   build a birdhouse

B 어구를 따라 쓴 후 알맞은 그림에 연결하세요.

1. bake bread
2. see a musical
3. ride a boat

C 그림에 알맞은 어구에 동그라미 한 후 문장을 완성하세요.

1. (play the violin) / ride a boat   I play the violin .
나는 바이올린을 연주해.

2. see a musical / (bake bread)   I bake bread .
나는 빵을 구워.

D 그림에 알맞은 어구를 보기에서 골라 문장을 완성하세요.

보기
go in-line skating   ride a boat
build a birdhouse   see a musical

1. I build a birdhouse
나는 새집을 만들어.

2. I go in-line skating
나는 인라인스케이트를 타러 가.

3. I see a musical
나는 뮤지컬을 봐.

3일 VOCA 대화 완성하며 실력 쑥쑥

What Do You Do in Your Free Time?
▶ 정답 24쪽

A 그림을 보고, 질문에 알맞은 대답에 ✔ 표 하세요.

1. What do you do in your free time?
☐ I play the violin.
✔ I bake bread.

2. What do you do in your free time?
✔ I ride a boat.
☐ I see a musical.

B 그림을 보고, 단어를 바르게 배열하여 대답을 쓰세요.

여가 시간에 무엇을 하는지 물을 때는
What do you do in your free time?
으로 묻고, 'I+하는 일.'로 대답해요.

1. A: What do you do in your free time?
너는 여가 시간에 뭐 해?
B: I go in-line skating.
(skating / go / I / in-line)
나는 인라인스케이트를 타러 가.

2. A: What do you do in your free time?
너는 여가 시간에 뭐 해?
B: I build a birdhouse.
(a / build / I / birdhouse)
나는 새집을 만들어.

C 그림에 알맞은 대화를 완성하세요.

1. A: What do you do in your free time?
B: I play the violin .

2. A: What do you do in your free time?
B: I see a musical .

3. A: What do you do in your free time?
B: I bake bread.

D 여러분이 여가 시간에 하는 일을 그린 후 질문에 알맞은 대답을 쓰세요.

A: What do you do in your free time?
B: I ride a boat.

4주
4일

4일 VOCA

문장 쓰며 실력 쑥쑥

How Can I Get to the Museum?

▶정답 25쪽

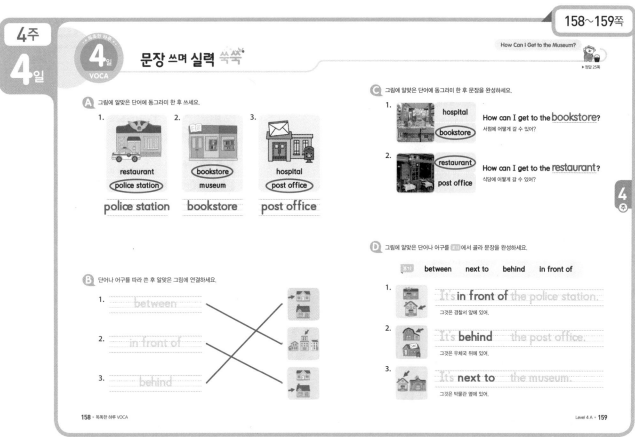

A 그림에 알맞은 단어에 동그라미 한 후 쓰세요.

1. restaurant / (police station)
   police station
2. (bookstore) / museum
   bookstore
3. hospital / (post office)
   post office

B 단어나 어구를 따라 쓴 후 알맞은 그림에 연결하세요.

1. between
2. in front of
3. behind

C 그림에 알맞은 단어에 동그라미 한 후 문장을 완성하세요.

1. hospital / (bookstore)
   How can I get to the **bookstore**?
   서점에 어떻게 갈 수 있어?
2. (restaurant) / post office
   How can I get to the **restaurant**?
   식당에 어떻게 갈 수 있어?

D 그림에 알맞은 단어나 어구를 보기에서 골라 문장을 완성하세요.

보기 between   next to   behind   in front of

1. It's **in front of** the police station.
   그것은 경찰서 앞에 있어.
2. It's **behind** the post office.
   그것은 우체국 뒤에 있어.
3. It's **next to** the museum.
   그것은 박물관 옆에 있어.

158 · 똑똑한 하루 VOCA

Level 4 A · 159

4일 VOCA

대화 완성하며 실력 쑥쑥

How Can I Get to the Museum?

▶정답 25쪽

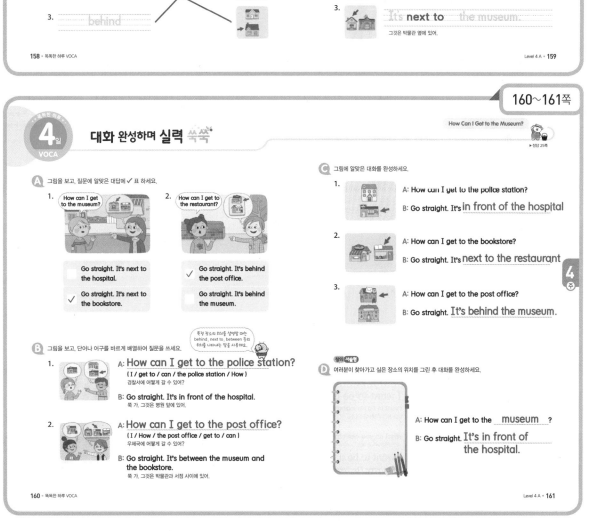

A 그림을 보고, 질문에 알맞은 대답에 ✓ 표 하세요.

1. How can I get to the museum?
   - ☐ Go straight. It's next to the hospital.
   - ✓ Go straight. It's next to the bookstore.
2. How can I get to the restaurant?
   - ✓ Go straight. It's behind the post office.
   - ☐ Go straight. It's behind the museum.

B 그림을 보고, 단어나 어구를 바르게 배열하여 질문을 쓰세요.

특정 장소의 위치를 설명할 때는 behind, next to, between 등의 위치를 나타내는 말을 사용해요.

1. A: How can I get to the police station?
   (I / get to / can / the police station / How)
   경찰서에 어떻게 갈 수 있어?
   B: Go straight. It's in front of the hospital.
   쭉 가. 그것은 병원 앞에 있어.

2. A: How can I get to the post office?
   (I / How / the post office / get to / can)
   우체국에 어떻게 갈 수 있어?
   B: Go straight. It's between the museum and the bookstore.
   쭉 가. 그것은 박물관과 서점 사이에 있어.

C 그림에 알맞은 대화를 완성하세요.

1. A: How can I get to the police station?
   B: Go straight. It's **in front of the hospital**
2. A: How can I get to the bookstore?
   B: Go straight. It's **next to the restaurant**
3. A: How can I get to the post office?
   B: Go straight. **It's behind the museum.**

D 여러분이 찾아가고 싶은 장소의 위치를 그린 후 대화를 완성하세요.

A: How can I get to the **museum**?
B: Go straight. It's **in front of the hospital.**

160 · 똑똑한 하루 VOCA

Level 4 A · 161

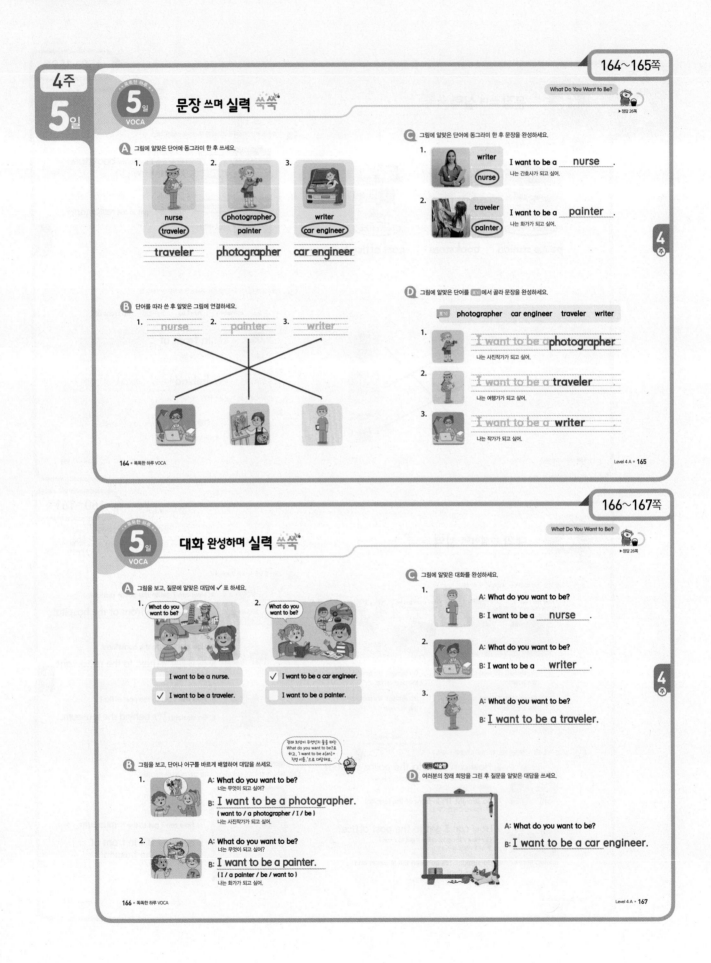

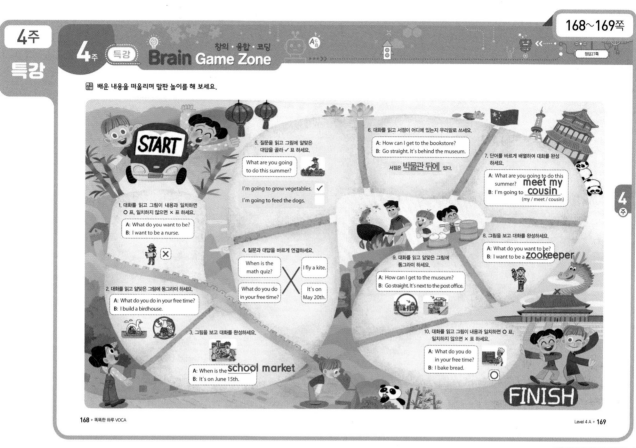

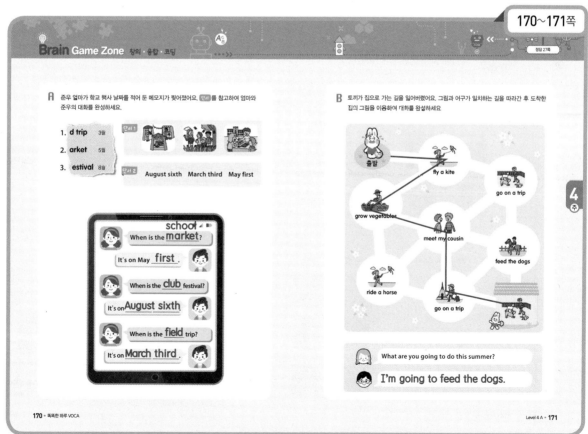

4주 특강

Brain Game Zone 창의·융합·코딩

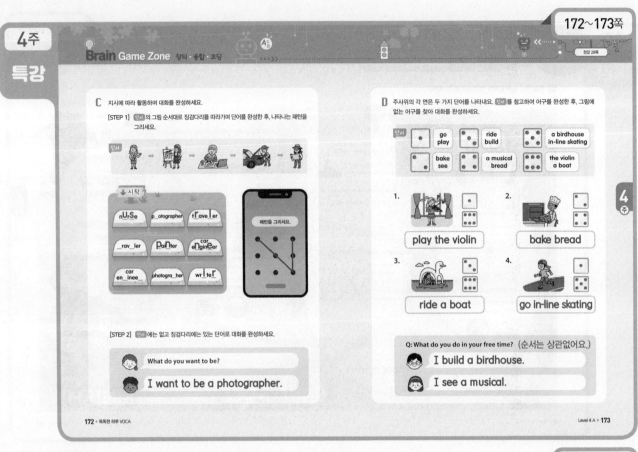

C 지시에 따라 활동하며 대화를 완성하세요.

[STEP 1] 단서의 그림 순서대로 징검다리를 따라가며 단어를 완성한 후, 나타나는 패턴을 그리세요.

↓ 시작

nUrSe | p_otographer | tɾaveler
_rav_ler | PaiNter | car enginEer
car en_inee_ | photogra_her | writer

패턴을 그리세요.

[STEP 2] 단서에는 없고 징검다리에는 있는 단어로 대화를 완성하세요.

What do you want to be?

I want to be a photographer.

D 주사위의 각 면은 두 가지 단어를 나타내요. 단서를 참고하여 어구를 완성한 후, 그림에 없는 어구를 찾아 대화를 완성하세요.

단서
go play | ride build | a birdhouse in-line skating
bake see | a musical bread | the violin a boat

1. play the violin
2. bake bread
3. ride a boat
4. go in-line skating

Q: What do you do in your free time? (순서는 상관없어요.)

I build a birdhouse.

I see a musical.

4주 누구나 100점 TEST

맞은 개수 /8개
▶정답 28쪽

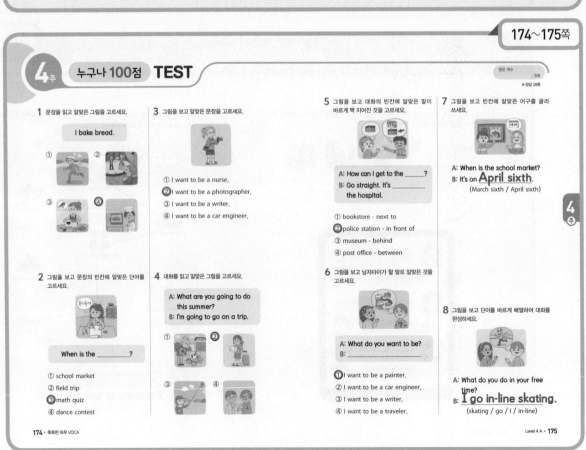

1 문장을 읽고 알맞은 그림을 고르세요.

I bake bread.

① ② ③ ④

2 그림을 보고 문장의 빈칸에 알맞은 단어를 고르세요.

When is the _____?

① school market
② field trip
③ math quiz
④ dance contest

3 그림을 보고 알맞은 문장을 고르세요.

① I want to be a nurse.
② I want to be a photographer.
③ I want to be a writer.
④ I want to be a car engineer.

4 대화를 읽고 알맞은 그림을 고르세요.

A: What are you going to do this summer?
B: I'm going to go on a trip.

① ② ③ ④

5 그림을 보고 대화의 빈칸에 알맞은 말이 바르게 짝 지어진 것을 고르세요.

A: How can I get to the _____?
B: Go straight. It's _____ the hospital.

① bookstore - next to
② police station - in front of
③ museum - behind
④ post office - between

6 그림을 보고 남자아이가 할 말로 알맞은 것을 고르세요.

A: What do you want to be?
B: _____

① I want to be a painter.
② I want to be a car engineer.
③ I want to be a writer.
④ I want to be a traveler.

7 그림을 보고 빈칸에 알맞은 어구를 골라 쓰세요.

A: When is the school market?
B: It's on **April sixth**.
(March sixth / April sixth)

8 그림을 보고 단어를 바르게 배열하여 대화를 완성하세요.

A: What do you do in your free time?
B: **I go in-line skating.**
(skating / go / I / in-line)

기초 학습능력 강화 프로그램

매일 조금씩 **공부력** UP!

똑똑한 하루
시리즈

쉽다!

초등학생에게 꼭 필요한 지식을
학습 만화, 게임, 퍼즐 등을 통한
'비주얼 학습'으로 쉽게 공부하고 이해!

빠르다!

하루 10분, 주 5일 완성의
커리큘럼으로 빠르고 부담 없이
초등 기초 학습능력 향상!

재미있다!

교과서는 물론 생활 속에서
쉽게 접할 수 있는 다양한 소재를 활용해
스스로 재미있게 학습!

더 새롭게! 더 다양하게! 전과목 시리즈로 돌아온 '똑똑한 하루'

*순차 출시 예정

국어 (예비초 ~ 초6)

예비초~초6 각 A·B
교재별 14권

예비초: 예비초 A·B
초1~초6: 1A~4C
14권

영어 (예비초 ~ 초6)

초3~초6 Level 1A~4B
8권

Starter A·B
1A~3B
8권

수학 (예비초 ~ 초6)

초1~초6 1·2학기
12권

예비초~초6 각 A·B
14권

초1~초6 각 A·B
12권

봄·여름
가을·겨울 (초1~ 초2)

봄·여름·가을·겨울
각 2권 / 8권

안전 (초1~ 초2)

초1~초2
2권

사회·과학 (초3~초6)

학기별 구성
사회·과학 각 8권

정답은
이안에
있어 !

수학 전문 교재

● 연산 학습

빅터면산 　　　　　　　　　　예비초~6학년, 총 20권

창의융합 빅터면산 　　　　　　예비초~4학년, 총 16권

● 개념 학습

개념클릭 해법수학 　　　　　　1~6학년, 학기용

● 수준별 수학 전문서

해결의법칙(개념/유형/응용) 　1~6학년, 학기용

● 서술형·문장제 문제해결서

수학도 독해가 힘이다 　　　　1~6학년, 학기용

초등 문해력 독해가 힘이다 문장제편 　1~6학년, 단계별

● 단원평가 대비

수학 단원평가 　　　　　　　　1~6학년, 학기용

● 단기완성 학습

초등 수학전략 　　　　　　　　1~6학년, 학기용

● 상위권 학습

최고수준S 　　　　　　　　　　1~6학년, 학기용

최고수준 수학 　　　　　　　　1~6학년, 학기용

최강 TOT 수학 　　　　　　　1~6학년, 학년용

● 경시대회 대비

해법 수학경시대회 기출문제 　1~6학년, 학기용

국가수준 시험 대비 교재

● **해법 기초학력 진단평가 문제집** 　2~6학년·중1 신입생, 총 6권

● **국가수준 학업성취도평가 문제집** 　6학년

예비 중등 교재

● **해법 반편성 배치고사 예상문제** 　6학년

● **해법 신입생 시리즈(수학/영어)** 　6학년

맞춤형 학교 시험대비 교재

● **열공 전과목 단원평가** 　　1~6학년, 학기용(1학기 2~6년)

한자 교재

● **해법 NEW 한자능력검정시험 자격증 한번에 따기** 　6~3급, 총 8권

● **씽씽 한자 자격시험** 　　　　8~7급, 총 2권

● **한자전략** 　　　　　　　　　1~6학년, 총 6단계

배움으로 행복한 내일을 꿈꾸는
천재교육 커뮤니티 안내 · · ·

 교재 안내부터 구매까지 한 번에!
천재교육 홈페이지

자사가 발행하는 참고서, 교과서에 대한 소개는 물론
도서 구매도 할 수 있습니다. 회원에게 지급되는 별을 모아
다양한 상품 응모에도 도전해 보세요!

 다양한 교육 꿀팁에 깜짝 이벤트는 덤!
천재교육 인스타그램

천재교육의 새롭고 중요한 소식을 가장 먼저 접하고 싶다면?
천재교육 인스타그램 팔로우가 필수!
깜짝 이벤트도 수시로 진행되니 놓치지 마세요!

 수업이 편리해지는
천재교육 ACA 사이트

오직 선생님만을 위한, 천재교육 모든 교재에 대한 정보가 담긴
아카 사이트에서는 다양한 수업자료 및 부가 자료는 물론
시험 출제에 필요한 문제도 다운로드하실 수 있습니다.

https://aca.chunjae.co.kr

 천재교육을 사랑하는 샘들의 모임
천사샘

학원 강사, 공부방 선생님이시라면 누구나 가입할 수 있는 천사샘!
교재 개발 및 평가를 통해 교재 검토진으로 참여할 수 있는 기회는 물론
다양한 교사용 교재 증정 이벤트가 선생님을 기다립니다.

 아이와 함께 성장하는 학부모들의 모임공간
튠맘 학습연구소

튠맘 학습연구소는 초·중등 학부모를 대상으로 다양한 이벤트와 함께
교재 리뷰 및 학습 정보를 제공하는 네이버 카페입니다.
초등학생, 중학생 자녀를 둔 학부모님이라면 튠맘 학습연구소로 오세요!